THE LANGUAGE GYM

Spanish
Sentence Builders

TRILOGY
PART I

A Lexicogrammar approach

Answers & transcripts

This is the answer & transcripts booklet for
"Spanish Sentence Builders – TRILOGY – Part I
– A Lexicogrammar approach"

SENTENCE BUILDERS TRILOGY
PART I - TABLE OF CONTENTS

TERM 1

TRANSCRIPTS: Unit 0

1. Break the flow: draw a line between each word

a. ¿Cómo te llamas?   b. Hola, me llamo Pablo   c. ¿Cómo estás hoy?   d. Buenos días, hoy estoy fenomenal
e. Hoy estoy bastante cansado   f. Estoy un poco enfadado   g. ¡Estoy muy contenta!

2. Faulty echo

a. ¿Cómo te **llamas**?
b. **Me** llamo Carlos
c. Buenos **días**, ¿cómo estás?
d. Buenas tardes, estoy **fatal**

e. Estoy muy **tranquilo**
f. **Hoy** estoy fenomenal, gracias
g. Mucho **gusto**

3. Arrange in the correct order

Buenos días. ¿Cómo te llamas? Me llamo Carlos. Hoy estoy fenomenal porque estoy muy feliz y bastante tranquilo. Y tú, ¿cómo estás hoy?

4. Fill in the blanks

a. ¿C**ó**mo te **llamas**?   b. ¿C**ó**mo est**á**s hoy?   c. **Buenos d**ías   d. **Buenas noche**s   e. **Buenas tarde**s
f. H**oy** e**stoy** m**uy bien**   g. H**oy** e**stoy** m**al**   h. **Estoy** m**uy feliz**

5. Listen and fill in the gaps

Paco: Hola, ¿cómo te **llamas**?
María: **Hola**, me llamo María
Paco: ¿Cómo estás **hoy**?
María: Hoy estoy **fenomenal** porque estoy muy **feliz**. ¿Y tú?
Paco: ¡Qué bien! Yo estoy **bien** porque estoy bastante **tranquilo**, gracias
María: Vale Paco, mucho **gusto**
Paco: Encantado ☺

6. Listen and fill in the grid in Spanish

e.g. Me llamo Paco y estoy muy bien porque estoy feliz
a. Me llamo José y estoy regular porque estoy un poco cansado
b. Me llamo Tomás. Hoy estoy fenomenal porque estoy muy feliz
c. Me llamo Paloma y hoy estoy fatal porque estoy enfadada.
d. Me llamo Dylan y hoy estoy mal porque estoy un poco triste
e. Me llamo Ana y hoy estoy bien, pero estoy un poco estresada

ANSWERS: Unit 0

Unit 0. EPI Register Routine: LISTENING

1. Break the flow: draw a line between each word

a. ¿Cómo te llamas?   b. Hola, me llamo Pablo   c. ¿Cómo estás hoy?   d. Buenos días, hoy estoy fenomenal
e. Hoy estoy bastante cansado   f. Estoy un poco enfadado   g. ¡Estoy muy contenta!

2. Faulty echo

a. ¿Cómo te **llamas**?   b. **Me** llamo Carlos   c. Buenos **días**, ¿cómo estás?   d. Buenas tardes, estoy **fatal**
e. Estoy muy **tranquilo**   f. **Hoy** estoy fenomenal, gracias   g. Mucho **gusto**

3. Arrange in the correct order

Good morning. What is your name? My name is Carlos. Today I feel great because I am very happy and quite calm. And you? How are you today?

4. Fill in the blanks

a. **¿Cómo** te **llamas**?   b. **¿Cómo** estás hoy?   c. **Buenos** días   d. **Buenas noche**s   e. **Buenas tarde**s
f. **H**oy e**stoy** m**uy** b**ien**   g. **H**oy e**stoy** ma**l**   h. **Estoy** m**uy feliz**

5. Listen and fill in the gaps

Paco: Hola, ¿cómo te **llamas**?
María: **Hola**, me llamo María
Paco: Mucho gusto María ¿Cómo estás **hoy**?
María: Hoy estoy **fenomenal** porque estoy muy **feliz**. ¿Y tú?
Paco: ¡Qué bien! Yo estoy **bien** porque estoy bastante **tranquilo**, gracias
María: Vale Paco, mucho **gusto**
Paco: Encantado

6. Listen and fill in the grid in Spanish

a. Regular – Un poco cansado   b. Fenomenal – Muy feliz   c. Fatal - Enfadada   d. Mal – Un poco triste
e. Bien – Un poco estresada

Unit 0. EPI Register Routine: VOCABULARY BUILDING

1. Match

Estoy bien – I am well   **Estoy mal** – I am (feeling) bad   **Estoy regular** – I am so-so
Estoy fatal – I am (feeling) awful   **Estoy fenomenal** – I am great   **Estoy cansado** – I am tired
Estoy feliz – I am happy   **Estoy estresado** – I am stressed   **Estoy triste** – I am sad

2. Faulty translation

a. Estoy feliz: I am **happy**   b. Estoy cansado: I am **tired**   c. Estoy bien: I am well – Correct
d. Estoy estresado: I am **stressed**   e. Estoy triste: I am **sad**   f. Estoy mal: I am (feeling) bad – Correct
g. Estoy regular: I am so-so – Correct   h. Estoy fatal: I am (feeling) awful – Correct   i. Hoy: **Today**
j. Buenas tardes: Good afternoon – Correct

3. Break the flow

a. Estoy bien porque estoy feliz   b. Estoy mal porque estoy nerviosa   c. Estoy muy bien porque estoy tranquila
d. Estoy muy mal porque estoy estresada   e. Estoy mal porque estoy triste   f. Estoy mal porque estoy enfadada
g. Estoy regular pero estoy cansada

4. Fill in the gaps

a. **Hola**, ¿cómo te **llamas**?   b. Me llamo Paco, mucho **gusto**   c. **Mucho** gusto, ¿cómo estás **hoy**?
d. **Estoy** bien gracias, ¿y **tú**?   e. Estoy bien **gracias**   f. …pero estoy un poco **cansado**

5. Broken words

a. H**ola** ¿c**ómo** t**e** l**lamas**?   b. M**e** ll**amo** Lily, m**ucho gusto**   c. **¿C**ómo e**stás** hoy?
d. H**oy** es**toy** b**astante** b**ien**, **gracias**   e. **E**stoy r**egular**, **porque estoy** un **poco** estresada

6. Complete with a suitable word

a. **Hola**, me llamo **Dylan**   b. ¿Y tú, cómo te **llamas**?   c. **Me** llamo Paco. Mucho **gusto**
d. **Mucho** gusto, ¿**Cómo** estás hoy?   e. **Estoy** bastante bien, **gracias**   f. ¿Y **tú**? ¿Cómo estás **hoy**?
g. Hoy estoy mal porque estoy muy **cansado / estresado**   h. Estoy **bien / fenomenal** porque estoy feliz
i. Estoy muy bien **porque** estoy tranquilo

Unit 0. EPI Register Routine: READING

1. Find the Spanish for the following items in the Olga and María's dialogue

a. Hola, buenos días   b. ¿Cómo te llamas?   c. Me llamo María   d. ¿Cómo estás hoy?
e. Estoy fenomenal, gracias   f. Estoy regular   g. ¿Por qué?   h. ¿Qué te pasa?   i. Estoy muy cansada
j. y un poco estresada   k. Gracias por preguntar   l. De nada   m. Vale   n. Mucho gusto   o. Igualmente
p. Adiós

2. Answer the following questions about Olga and María

a. She is feeling great   b. She is very happy and excited   c. Olga is so-so   d. She is tired and stressed

3. Find someone who…

a. Olga   b. Joaquín   c. Iker   d. Joaquín   e. María   f. Olga   g. Iker   h. María

Unit 0. EPI Register Routine: WRITING

1. Faulty translation: spot and correct (in the English) any translation mistakes you find below

a. Me llamo Dylan – ***My** name is Dylan*   b. ¿Cómo te llamas? – *What **is** your **name**?*
c. ¿Cómo estás hoy? – ***How** are you today?*   d. Estoy regular – *I am **so-so***
e. Estoy muy feliz – *I am **very** happy*   f. Estoy un poco estresado – *I am **a bit** stressed*
g. Estoy muy mal – *I am (feeling) very **bad***   h. Estoy fenomenal – *I am **great***
i. Estoy bastante cansado – *I am quite **tired***   j. Mucho gusto – ***Nice to meet you***

2. Translate into English

a. Hi, what's your name?   b. How are you today?   c. My name is Pedro   d. I'm quite well, thanks   e. And you?
f. I'm very well   g. Today I'm very calm   h. Today I'm unwell   i. I'm very happy   j. I'm sad and angry

3. Anagram challenge: unscramble the words and then translate

a. Buenos días: Good morning   b. Buenas tardes: Good afternoon   c. ¿Cómo estás?: How are you?
d. Estoy triste: I am tired   e. Estoy feliz: I am happy   f. ¿Cómo te llamas?: What is your name?
g. Estoy triste: I am sad   h. Estoy fenomenal: I am (feeling) great   i. Estoy muy enfadado: I am very angry
j. Mucho gusto: Nice to meet you

4. Translate into Spanish

a. Hola   b. Buenos días   c. Buenas tardes   d. ¿Cómo estás hoy?   e. ¿Cómo te llamas?
f. Estoy muy bien, gracias. ¿Y tú?   g. Estoy regular, porque estoy un poco triste   h. Estoy muy feliz y tranquilo
i. Estoy enfadado y nervioso   j. Estoy un poco cansado

TRANSCRIPTS: Unit 1 – Talking about my age

1. Fill in the blanks

a. Me **llamo** Alejandro.   b. Tengo **quince** años.   c. Tengo **dos** hermanos.   d. **Mi** hermano mayor se **llama** Roberto.
e. Mi **hermano** menor **se** llama Julián.   f. ¿Cómo **te** llamas?   g. ¿Cuántos **años** tienes?

2. Break the flow (draw a line between each word)

a. Me llamo Antonio.
b. Tengo quince años.
c. Mi hermano se llama Julián.
d. Mi hermana se llama Arantxa.
e. ¿Cuántos años tienes?
f. Mi hermano se llama Felipe.
g. ¿Cómo te llamas?

3. Arrange in the correct order

Me llamo Tomás. Tengo trece años. Tengo un hermano y una hermana. Mi hermano se llama Fernando. Mi hermana se llama Arantxa. Fernando tiene catorce años. Arantxa tiene quince años.

4. Spot the differences and correct your text

a. **Me** llamo Ana.   b. Tengo **doce** años.   c. Tengo dos **hermanos**.
d. Mi hermano mayor se llama **Paco**.   e. Mi hermano **menor** se llama Roberto.
f. Paco tiene **quince** años.   g. Roberto tiene **nueve** años.   h. ¿Cuántos años **tienes?**

5. Complete with the missing letters

a. Me llam**O** Pedro.   b. Soy d**E** España.   c. Tengo quin**C**e años.
d. No tengo hermano**S**.   e. …pero tengo un**A** hermana.   f. Mi hermana se llam**A** Arantxa.
g. Arantxa tien**E** doce a**Ñ**os.   h. Y tú ¿cómo t**E** llamas?   i. ¿Cuántos años tiene**S**?

6. Spot the missing words and write them in

a. **(Hola)** me llamo Pedro.   b. Soy **(de)** España.   c. Tengo trece **(años)**.
d. Tengo un hermano **(y)** una hermana.   e. Mi hermano **(se)** llama Roberto.
f. **(Mi)** hermana se llama Isabel.   g. Roberto **(tiene)** catorce años.

7. Listen, spot and correct the errors

a. Tengo catorce año**S**.   b. Me llam**O** Carlos.   c. Mi hermano se llam**A** Pablo.
d. Tengo dos hermano**S**.   e. Tengo **UN** hermano y una hermana.   f. ¿Cuánto**S** años tienes?

8. Listen and fill in the grid

(a) Me llamo María y tengo 12 años. Tengo 2 hermanos pero no tengo hermanas. **(b)** Me llamo José y tengo 14 años. Tengo 4 hermanos y una hermana. **(c)** Me llamo Paco y tengo 8 años. Tengo un hermano y una hermana. **(d)** Me llamo Arantxa y tengo 11 años. Soy hija única – no tengo hermanos. **(e)** Me llamo Dylan y tengo 5 años. Tengo dos hermanos y dos hermanas. **(f)** Me llamo Amparo y tengo 15 años. Tengo tres hermanas.

9. Faulty translation: spot the translation errors and correct them

a. Me llamo Andrea.   b. Soy de Chile.   c. Tengo tres hermanas.
d. Mi hermana menor se llama Amparo.   e. Mi hermana mayor se llama Luana.
f. Amparo tiene once años.   g. Luana tiene trece años.   h. Yo tengo doce años.

10. Translate the sentences you hear into English

(a) Me llamo Roberto **(b)** Tengo catorce años **(c)** Tengo un hermano mayor y un hermano menor **(d)** Mi hermano menor se llama Emilio **(e)** Mi hermano mayor se llama Enrique **(f)** Emilio tiene doce años **(g)** Enrique tiene quince años **(h)** Y tú, ¿cómo te llamas? **(i)** ¿Cuántos años tienes?

11. Narrow listening: gap-fill

Me llamo **Antonio**. Soy de Barcelona, en **España**. En mi familia hay cuatro personas: **mi** madre, mi padre y mis **dos** hermanos. Mi hermano **menor** se llama Miguel y mi hermano **mayor** se llama Paco. Miguel tiene **6** años y mi hermano Paco tiene **15** años. Y tú, ¿cómo te **llamas?** ¿**cuántos** años tienes?

12. Narrow listening: gapped translation

a. Me llamo **Silvia**. Vivo en **Málaga,** en España. En mi familia hay **cinco** personas: mi madre, mi padre, mi hermano **menor**, mi hermano **mayor** y yo.
b. Mi hermano **mayor** se llama **Santi**. Tiene **catorce** años.
c. Mi hermano **menor** se llama Antonio. Tiene **siete** años. Y tú, **¿cómo te llamas? ¿cuántos años tienes? ¿cuántos hermanos tienes?**

ANSWERS: Unit 1 – Talking about my age

Unit 1. Talking about my age: LISTENING

1. Fill in the blanks

a. Me **llamo** Alejandro.   b. Tengo **quince** años.   c. Tengo **dos** hermanos.
d. **Mi** hermano mayor se **llama** Roberto.   e. Mi **hermano** menor **se** llama Julián.
f. ¿Cómo **te** llamas?   g. ¿Cuántos **años** tienes?

2. Break the flow: draw a line between each word

a. Me llamo Antonio.   b. Tengo quince años.
c. Mi hermano se llama Julián.   d. Mi hermana se llama Arantxa.
e. ¿Cuántos años tienes?   f. Mi hermano se llama Felipe.
g. ¿Cómo te llamas?

3. Arrange in the correct order

My name is Tomás. I am thirteen years old. I have a brother and a sister. My brother is called Fernando. My sister is called Arantxa. Fernando is fourteen years old. Arantxa is fifteen years old.

4. Spot the differences and correct the text

a. **Me** llamo Ana.   b. Tengo **doce** años.   c. Tengo dos **hermanos**.   d. Mi hermano mayor se llama **Paco**.
e. Mi hermano **menor** se llama Roberto.   f. Paco tiene **quince** años.   g. Roberto tiene **nueve** años.
h. ¿Cuántos años **tienes?**

5. Complete with the missing letters

a. Me llam**O** Pedro.   b. Soy d**E** España.   c. Tengo quin**C**e años.
d. No tengo hermano**S**.   e. …pero tengo un**A** hermana.   f. Mi hermana se llam**A** Arantxa.
g. Arantxa tien**E** doce a**Ñ**os.   h. Y tú ¿cómo t**E** llamas?   i. ¿Cuántos años tiene**S**?

6. Spot the missing words and write them in

a. **(Hola)** me llamo Pedro.   b. Soy **(de)** España.   c. Tengo trece **(años)**.   d. Tengo un hermano **(y)** una hermana.
e. Mi hermano **(se)** llama Roberto.   f. **(Mi)** hermana se llama Isabel.   g. Roberto **(tiene)** catorce años.

7. Listen, spot and correct the errors

a. Tengo catorce año**S**.   b. Me llam**O** Carlos.   c. Mi hermano se llam**A** Pablo.
d. Tengo dos hermano**S**.   e. Tengo **UN** hermano y una hermana.   f. ¿Cuánto**S** años tienes?

8. Listen and fill in the grid

María	– Age: 12	Brothers: 2	Sisters: 0
José	– Age: 14	Brothers: 4	Sisters: 1
Paco	– Age: 8	Brothers: 1	Sisters: 1
Arantxa	– Age: 11	Brothers: 0	Sisters: 0
Dylan	– Age: 5	Brothers: 2	Sisters: 2
Amparo	– Age: 15	Brothers: 0	Sisters: 3

9. Faulty translation: spot the translation errors and correct them

a. My name is Andrea.   b. I am from Chile.   c. I have three sisters.
d. My younger sister is called Amparo.   e. My older sister is called Luana.
f. Amparo is eleven.   g. Luana is thirteen.   h. I am twelve.

10. Translate the sentences you hear into English

a. My name is Roberto   f. I am 14
b. I have an older brother and a younger brother   g. My younger brother is called Emilio
c. My older brother is called Enrique   h. Emilio is 12
d. Enrique is 15   i. And you, what's your name?
e. How old are you?

11. Narrow listening: gap-fill

Me llamo **Antonio**. Soy de Barcelona, en **España**. En mi familia hay cuatro personas: **mi** madre, mi padre y mis **dos** hermanos. Mi hermano **menor** se llama Miguel y mi hermano **mayor** se llama Paco. Miguel tiene **seis** años y mi hermano Paco tiene **quince** años. Y tú, ¿cómo te **llamas**? ¿**cuántos** años tienes?

12. Narrow listening: gapped translation

My name is **Silvia**. I am from **Málaga** in Spain. In my family there are **five** people: my mother, my father, my **younger** brother, my **older** brother and myself. My **older** brother is called **Santi**. He is **14** years old. My **younger** brother is called Antonio. He is **7** years old. How about you, what **is your name**? How **old are you**? How **many brothers do you have**?

Unit 1. Talking about my age: VOCABULARY BUILDING

1. Match

un año – one year   **dos años** – two years   **tres años** – three years   **cuatro años** – four years
cinco años – five years   **seis años** – six years   **siete años** – seven years   **ocho años** – eight years
nueve años – nine years   **diez años** – ten years   **once años** – eleven years   **doce años** – twelve years

2. Complete with the missing word

a. Tengo **catorce** años   b. Mi hermano **se** llama Felipe   c. Me **llamo** Diego
d. Mi hermano **tiene** dos años   e. Mi hermana tiene **cuatro** años   f. **Me** llamo Ana

3. Translate into English

a. I'm three years old   b. I'm five years old   c. I'm eleven years old   d. He/She is fifteen years old
e. He/She is thirteen years old   f. He/She is seven years old   g. My brother   h. My sister   i. He/she is called

4. Broken words

a. Ten**go**   b. Me lla**mo**   c. Mi herm**ana**   d. Qui**nce**   e. Diecis**éis**   f. On**ce**   g. Nu**eve**   h. Cat**orce**   i. Do**ce**

5. Rank the people below from oldest to youngest

1, 2, 7, 5, 8, 4, 3, 6

6. For each pair of people write who is the oldest, as shown in the example

B – B – B – A – A – B – A

Unit 1. Talking about my age: READING

1. Find the Spanish for the following items in Nico's text

a. Soy argentino   b. Me llamo   c. La capital   d. En Buenos Aires   e. Que se llama Antonio   f. Tengo doce años
g. Tiene catorce

2. Answer the following questions about Ramón

a. From Spain   b. He is ten years old   c. 2   d. Barbara and Paco

3. Complete the table below

```
Marco:  age 13,  Italian,          1 brother,   age 15
Nico:   age 12,  Argentinian,      1 brother,   age 14
Ramón:  age 10,  Spanish,          2 siblings,  ages 5 & 9
```

4. Hans, Kaori or Marine?

a. Hans   b. Marine   c. Marine's sister   d. Kaori/Marine   e. Hans

Unit 1. Talking about my age: TRANSLATION

1. Faulty translation: spot and correct (in the English) any translation mistakes you find below

a. **My** name is Patricia   b. I have two **sisters**   c. My **sister** is called Marta   d. My **brother** is 5   e. I am **fifteen**
f. My brother is **eight**. g. I don't have **any siblings**   h. I am **16**   i. I am **12**   j. **His** name is Juan

2. Translate into English

a. My brother is called Juan   b. I am fifteen years old   c. My brother is six   d. My sister is called Mariana
e. I am seven years old   f. I live in Madrid   g. My sister is fourteen years old   h. I have a brother and a sister
i. María is twelve   j. Arantxa is nine

3. Translate into Spanish

a. Me llamo Paco. Tengo seis años.   b. Mi hermano tiene quince años.   c. Tengo doce años.
d. Mi hermana se llama Arantxa. e. Tengo catorce años.   f. Tengo un hermano y una hermana.
g. Me llamo Felipe y tengo catorce años.   h. Me llamo Gabriel y tengo once años.
i. Me llamo Santiago. Tengo diez años. Tengo un hermano y una hermana.
j. Mi hermana se llama Ana. Tiene doce años.

Unit 1. Talking about my age: WRITING

1. Complete the words

a. Me llamo Paco   b. Tengo catorce años   c. Tengo una hermana   d. Mi hermano se llama Julio
e. Me llamo Patricio f. Mi hermano se llama Pablo   g. Tengo trece años   h. Mi hermana se llama Ana

2. Write out the number in Spanish

a. nine – **nueve**   b. seven – **siete**   c. twelve – **doce**   d. five – **cinco**   e. fourteen – **catorce**   f. sixteen – **dieciséis**
g. thirteen – **trece**   h. four – **cuatro**

3. Spot and correct the spelling mistakes

a. Me llamo Paco b. Tengo trece años   c. Mi hermano tiene cinco años   d. Mi hermana se llama María
e. Me llamo Patricio   f. Mi hermana se llama Alejandra

4. Complete with a suitable word

a. Mi hermana se **llama** Laura b. **Mi** hermano tiene quince años   c. Me **llamo** Mario
d. Tengo un **amigo** que se llama Felipe   e. Tengo una **amiga/hermana** que se llama Arantxa
f. Mi hermano **tiene** catorce años

5. Guided writing

Samuel: Me llamo Samuel. Tengo doce años. Vivo en Buenos Aires. Soy argentino. Mi hermano se llama Gonzalo y tiene nueve años. Mi hermana se llama Anna y tiene ocho años.
Rebeca: Me llamo Rebeca. Tengo quince años. Vivo en Madrid. Soy española. Mi hermano se llama Jaime y tiene trece años. Mi hermana se llama Valentina y tiene cinco años.
Michael: Me llamo Michael y tengo once años. Vivo en Berlín y soy alemán. Mi hermano se llama Thomas y tiene siete años. Mi hermana se llama Gerda y tiene doce años.
Kyoko: Me llamo Kyoko. Tengo diez años. Vivo en Osaka y soy japonesa. Mi hermano se llama Ken y tiene seis años. Mi hermana se llama Rena y tiene un año.

6. Describe this person in the third person

Se llama Jorge. Tiene doce años. Vive en Barcelona. Su hermano se llama Mario y tiene trece años. Su hermana se llama Soledad y tiene quince años.

TERM 1 – BRINGING IT ALL TOGETHER – 1

1. Juan o María?

a. Juan b. María c. María d. Juan e. Juan f. María g. María h. Juan

2. Complete with a suitable word

a. Hola, ¿cómo te **llamas**?
b. ¿De dónde **eres**?
c. ¿Cómo **estás** hoy?
d. Tengo una familia **grande / pequeña**
e. Tengo un **hermano**
f. ¿Cómo se **llama** tu hermano?
g. ¿Cuántos **años** tiene tu hermana?
h. Mi **hermano** menor se llama Juan
i. Mi hermano mayor **se** llama Carlos
j. Mi hermana **tiene** ocho años
k. Mucho **gusto**, Juan
l. Igualmente, **mucho** gusto

3. Translate

a. ¿Cómo te llamas? b. ¿De dónde eres? c. ¿Cómo estás hoy? d. Tengo una familia grande
e. Tengo una hermana f. ¿Cómo se llama tu hermano? g. ¿Cuántos años tiene tu hermano?
h. Mi hermana tiene diez años i. Encantado j. Igualmente

TRANSCRIPTS: Unit 2 – Saying when my birthday is

1. Fill in the blanks

a. Me **llamo** Ramón y mi cumpleaños es **el** quince de **mayo**.
b. **Me** llamo Tomás y **mi** cumpleaños es el **dos** de **marzo**.
c. Me llamo **Ana** y mi cumpleaños es el **treinta** de **agosto**.
d. **Me** llamo Alfonso y mi **cumpleaños** es el **seis** de **septiembre**.
e. **Me llamo** Paloma y mi cumpleaños **es** el **veinte** de **diciembre**.

2. Break the flow: draw a line between each word

a. Mi cumpleaños es el trece de octubre.   b. Mi cumpleaños es el nueve de mayo.   c. ¿Cuándo es tu cumpleaños?
d. Mi cumpleaños es el uno de agosto.   e. Mi cumpleaños es el dieciséis de mayo.   f. ¿Cuándo es su cumpleaños?
g. Mi hermano tiene catorce años.   h. Su cumpleaños es el dos de enero.

3. Listen and spot the differences

a. **Me llamo** Jorge.   b. No tengo **hermanas**.   c. Soy **hijo único**.   d. Soy de **Chile**.   e. …pero vivo en **Inglaterra**.
f. Tengo **quince** años.   g. Mi cumpleaños es el catorce de **julio**.   h. Mi **amiga** Luisa tiene trece años.
i. Su cumpleaños es el **ocho** de octubre.

4. Listen, spot and correct the errors

a. Mi cumpleaños **es** el veinte de junio.
b. Mi amiga se llama Patricia. **Tiene** diez años y su cumpleaños es el quince de mayo.
c. El cumpleaños de mi amiga es ~~en~~ el nueve de abril.
d. Mi madre **tiene** treinta y ocho años y su **cumpleaños** es el treinta de noviembre.
e. Mi amigo se **llama** Roberto. Su cumpleaños es el catorce de **octubre**.

5. Listen and choose the option that you hear

a. Hola, me llamo **Andrea** y soy de Chile. Tengo 12 años y mi cumpleaños es el 3 de junio.
b. Hola me llamo **Paco** y soy de Colombia. Tengo 15 años y mi cumpleaños es el 17 de julio.
c. Hola, me llamo **Nina** y soy de España. Tengo 9 años y mi cumpleaños es el 12 de noviembre.
d. Hola me llamo **Dylan** y soy de Perú. Tengo 19 años y mi cumpleaños es el 7 de junio.
e. Hola me llamo **Miguel** y soy de Ecuador. Tengo 16 años y mi cumpleaños es el 20 de septiembre.
f. Hola, me llamo **Marta** y soy de México. Tengo 14 años y mi cumpleaños es el 14 de diciembre.

6. Narrow listening: gap-fill

a. Hola, me llamo Silvia y **soy** de Bilbao, España. Tengo **14** años. Mi cumpleaños es el **30** de mayo. Tengo dos hermanos, Felipe y Gonzalo.
b. Felipe **tiene** catorce años y su cumpleaños es el veintiuno **de** marzo. Mi hermano Gonzalo tiene dieciséis años y **su** cumpleaños es el **20** de junio.
c. En **casa** tenemos un hámster también. Se **llama** Guapo y tiene dos años. Mi mejor **amiga** se llama Magda. Tiene **15** años. Su cumpleaños es el **12** de enero.

7. Narrow listening: gapped translation

a. **Me llamo** Ariella. Tengo **14** años. Soy de **Valencia**, en **España**. Mi cumpleaños es el 16 de **julio**.
b. Tengo un **hermano** que se llama **Jaime**. Tiene **once** años. **Su** cumpleaños es el **13** de diciembre.
c. Mi mejor amiga se llama **Ana**. Tiene **15** años y su cumpleaños es el **diez de marzo**.
d. Mi **prima** se llama Andrea. Tiene **12** años y su cumpleaños es el **uno** de **abril**.
e. En casa tenemos una mascota. Es una **serpiente**. **Se llama** Maite y tiene **3** años.

8. Listening slalom

a. Example: Me llamo Vero. Soy de Barbastro. Tengo trece años y mi cumpleaños es el 16 de julio. Tengo una hermana. Su cumpleaños es el uno de enero.
b. Mi hermano se llama Leo. Él es de Santiago. Tiene catorce años. Su cumpleaños es el quince de marzo. Tiene novia. Su cumpleaños es el 7 de octubre.
c. Me llamo Alejandro. Soy de Granada. Tengo veintiún años. Mi cumpleaños es el 30 de agosto. Tengo un hámster.

Su cumpleaños es el 2 de septiembre.

d. Me llamo Gabriela. Soy de Barcelona. Tengo dieciséis años. Mi cumpleaños es el 21 de mayo. Tengo novio. Su cumpleaños es el 12 de marzo.

e. Me llamo Carlos. Soy de Valencia. Tengo nueve años. Mi cumpleaños es el 23 de junio. Tengo una amiga. Su cumpleaños es el 30 de junio.

9. Faulty translation: spot the translation errors and correct them

Me llamo Marco y soy de **Italia**. Tengo **12** años. Mis padres se llaman Adolfo y Marina. Tienen **48** años. El cumpleaños de mi madre es el 21 de marzo. El cumpleaños de mi padre es el **14** de agosto. Tengo dos **hermanos**, Rafa y Antonio. Rafa tiene 10 años y Antonio tiene **11**. El cumpleaños de Rafa es el 11 de **junio**. El cumpleaños de Antonio es el **21** de abril. En casa tenemos una mascota, un **gato**. Se llama **Paco**, tiene 1 año. Tengo una novia. Se llama Petra. Tiene **13** años. Su cumpleaños es el 16 de **noviembre**.

ANSWERS: Unit 2 – Saying when my birthday is

Unit 2. Saying when my birthday is: LISTENING

1. Fill in the blanks

a. Me **llamo** Ramón y mi cumpleaños es **el** quince de **mayo**.
b. **Me** llamo Tomás y **mi** cumpleaños es el **dos** de **marzo**.
c. Me llamo **Ana** y mi cumpleaños es el **treinta** de **agosto**.
d. **Me** llamo Alfonso y mi **cumpleaños** es el **seis** de **septiembre**.
e. **Me** llamo Paloma y mi cumpleaños **es el veinte** de **diciembre**.

2. Break the flow: draw a line between each word

a. Mi cumpleaños es el trece de octubre.
b. Mi cumpleaños es el nueve de mayo.
c. ¿Cuándo es tu cumpleaños?
d. Mi cumpleaños es el uno de agosto.
e. Mi cumpleaños es el dieciséis de mayo.
f. ¿Cuándo es su cumpleaños?
g. Mi hermano tiene catorce años.
h. Su cumpleaños es el dos de enero.

3. Listen and spot the differences

a. **Me llamo** Jorge   b. No tengo **hermanas**   c. Soy **hijo único**   d. Soy de **Chile**
e. …pero vivo en **Inglaterra**   f. Tengo **cinco** años   g. Mi cumpleaños es el catorce de **julio**
h. Mi **amiga** Luisa tiene trece años   i. Su cumpleaños es el **ocho** de octubre

4. Listen, spot and correct the errors

a. Mi cumpleaños **es** el veinte de junio.
b. Mi amiga se llama Patricia. **Tiene** diez años y su cumpleaños es el quince de mayo.
c. El cumpleaños de mi amiga es ~~en~~ el nueve de abril.
d. Mi madre **tiene** treinta y ocho años y su **cumpleaños** es el treinta de noviembre.
e. Mi amigo se **llama** Roberto. Su cumpleaños es el catorce de **octubre**.

5. Listen and choose the option that you hear

1. Andrea – Edad: 12   Cumpleaños: 3 de junio   2. Paco   – Edad: 15   Cumpleaños: 17 de julio
3. Nina   – Edad: 9   Cumpleaños: 12 de noviembre   4. Dylan   – Edad: 19   Cumpleaños: 7 de junio
5. Miguel – Edad: 16   Cumpleaños: 20 de setiembre   6. Marta   – Edad: 14   Cumpleaños: 14 de diciembre

6. Narrow listening: gap-fill

a. Hola, me llamo Silvia y **soy** de Bilbao, España. Tengo **14** años. Mi cumpleaños es el **30** de mayo. Tengo dos hermanos, Felipe y Gonzalo.

b. Felipe **tiene** catorce años y su cumpleaños es el veintiuno **de** marzo. Mi hermano Gonzalo tiene dieciséis años y **su** cumpleaños es el **20** de junio.

c. En **casa** tenemos un hámster también. Se **llama** Guapo y tiene dos años. Mi mejor **amiga** se llama Magda. Tiene **15** años. Su cumpleaños es el **12** de enero.

7. Narrow listening: gapped translation

a. **My name** is Ariella. I am **14** years old. I am from **Valencia**, in **Spain**. My birthday is on 16th **July**.
b. I have a **brother** called **Jaime**. He is **11** years old. **His** birthday is on **13**th December.
c. My best friend is called **Ana**. She is **15** years old and her birthday is on **10**th **March**.
d. My **cousin** is called Andrea. She is **12** years old and her birthday is on **1st April**.
e. At home we have a pet. It is a **snake**. **Its name is** Maite and it is **3** years old.

8. Listening slalom

a. Example: Vero: *My name is Vero. I am from Barbastro. I am 13. My birthday is on 16th July. I have a sister. Her birthday is on 1st January.*
b. Leo: My brother is called Leo. He is from Santiago. He is 14. His birthday is on 15th March. He has a girlfriend. Her birthday is on 7th October.
c. Alejandro: My name is Alejandro. I am from Granada. I am 21. My birthday is on 30th August. I have a hamster. His birthday is on 2nd September.
d. Gabriela: My name is Gabriela. I am from Barcelona. I am 16. My birthday is on 21st May. I have a boyfriend. His birthday is on 12th March.
e. Carlos: My name is Carlos. I am from Valencia. I am 9. My birthday is on 23rd June. I have a friend. Her birthday is on 30th June.

9. Faulty translation: spot the translation errors and correct them

My name is Marco, I am from **Italy**. I am **12** years old. My parents are called Adolfo and Marina. They are **48** years old. My mother's birthday is on 21st March. My father's birthday is on **14**th August. I have two **brothers**, Rafa and Antonio. Rafa is 10 years old and Antonio is **11**. Rafa's birthday is on 11th **June**. Antonio's birthday in on **21**st April. At home we have a pet, a **cat**. Its name is **Paco** and it is one year old. I have a girlfriend. Her name is Petra. She is **13**. Her birthday is on 16th **November**.

Unit 2. Saying when my birthday is: VOCABULARY BUILDING

1. Complete with the missing word

a. Me **llamo** Gonzalo   b. Mi **amiga** se llama María   c. **Mi** amigo se llama Jaime   d. Mi **cumpleaños** es el…
e. El **cinco** de mayo   f. El **dieciocho** de noviembre   g. El cuatro de **julio**   h. **Su** cumpleaños es el…

2. Match

abril – April **noviembre** – November   **diciembre** – December   **mayo** – May   **enero** – January   **febrero** – February
mi cumpleaños – my birthday   **mi amigo** – my friend (*m*)   **mi amiga** – my friend (*f*)   **me llamo** – I am called
se llama – he/she is called

3. Translate into English

a.14th January   b. 8th May   c. 7th February   d. 20th March   e. 19th August   f. 25th July   g. 24th September
h. 15th April

4. Add the missing letter

a. cumpleaños   b. febrero   c. marzo   d. mayo   e. abril   f. junio   g. enero   h. agosto   i. junio   j. noviembre
k. diciembre   l. septiembre

5. Broken words

a. El **tres de enero**   b. El **cinco de julio**   c. El **nueve** de agosto   d. El **doce** de **marzo**   e. El **dieciséis** de abril
f. El d**iecinueve** de d**iciembre**   g. El **veinte** de **octubre**   h. El **veinticuatro** de mayo   i. El **treinta** de **septiembre**

6. Complete with a suitable word

a. Me **llamo** Dylan   b. Mi **cumpleaños** es el dos de mayo   c. Tengo nueve **años**   d. Mi **amigo** se llama Gian
e. Gian **tiene** diez años   f. Su **cumpleaños** es el tres de junio   g. Mi **cumpleaños** es el dieciocho de julio
h. Mi amigo **se** llama Ronan   i. **Mi/Su** cumpleaños es el cuatro de agosto   j. El ocho de **noviembre**
k. **Me** llamo Gabriel García

Unit 2. Saying when my birthday is: READING

1. Find the Spanish for the following items in Rodrigo's text

a. Me llamo   b. Tengo doce años   c. Vivo en México   d. Mi cumpleaños es   e. el doce de   f. su cumpleaños es
g. en mi tiempo libre   h. mi amiga   i. se llama   j. tiene 35 años   k. el veintiuno de junio   l. tiene un hermano mayor
m. el ocho de enero

2. Complete with the missing words

Me llamo Ana. **Tengo** trece **años** y **vivo** en Madrid, **en** España. **Tengo** un gato en casa. Mi **cumpleaños** es **el** uno **de** diciembre. Mi hermano **tiene** nueve **años** y su cumpleaños es **el uno de** abril.

3. Answer the following questions about Mercedes' text

a. 7   b. In Chile   c. 5th December   d. Two brothers   e. Julio   f. 13   g. 5th January

4. Find someone who...

a. Mercedes   b. Sergio   c. Antonio   d. Rodrigo   e. Rodrigo   f. Mercedes' brother   g. Antonio   h. Mercedes
i. Sergio / Antonio

Unit 2. Saying when my birthday is: WRITING

1. Complete with the missing letters

a. Me lla**mo** Paco   b. Soy de Bilbao   c. M**i** cumplea**ños** es el quin**ce** de junio   d. Ten**go** catorce a**ños**.
e. Mi ami**ga** se llam**a** Catalina   f. Catalina **es** de Madrid   g. Mi ami**go** Miguel **es** de Sevilla   h. Miguel tien**e** once a**ños**

2. Spot and correct the spelling mistakes

a. Mi cumpleaños es el cuatro de enero   b. M**e** llamo Paco   c. Soy d**e** Bilbao   d. Mi amiga se llam**a** Catalina
e. Catalina tiene once años   f. Yo tengo cator**ce** años   g. M**i** cumpleaños es el **uno** de marzo   h. Tengo quin**ce** años.

3. Answer the questions in Spanish (personal answers)

a. Me llamo Ana   b. Tengo diez años   c. Mi cumpleaños es el doce de junio   d. Tengo un hermano
e. Su cumpleaños es el cinco de enero

4. Write out the dates below in words as shown in the example

e.g. el quince de mayo   a. el diez de junio   b. el veinte de marzo   c. el diecinueve de febrero
d. el veinticinco de diciembre   e. el uno de enero   f. el veintidós de noviembre   g. el catorce de octubre

5. Guided writing

Samuel: Me llamo Samuel y vivo en Sevilla. Tengo once años y mi cumpleaños es el veinticinco de diciembre. Mi hermano se llama José y su cumpleaños es el diecinueve de febrero.
Ale: Me llamo Ale y vivo en Bilbao. Tengo catorce años y mi cumpleaños es el veintiuno de julio. Mi hermano se llama Felipe y su cumpleaños es el veintiuno de abril.
Andrés: Me llamo Andrés y vivo en Gerona. Tengo doce años y mi cumpleaños es el uno de enero. Mi hermano se llama Julián y su cumpleaños es el veinte de junio.
Carlos: Me llamo Carlos y vivo en Valencia. Tengo dieciséis años y mi cumpleaños es el dos de noviembre. Mi hermano se llama Miguel y su cumpleaños es el doce de octubre.

6. Describe this person in the third person

Se llama César y tiene doce años. Vive en Aguadulce y su cumpleaños es el veintiuno de junio. Su hermano se llama Jesús y tiene dieciséis años. Su cumpleaños es el uno de diciembre.

Unit 2. Saying when my birthday is: TRANSLATION

1. Faulty translation: spot and correct (in the English) any translation mistakes you find below

a. ~~his~~ **My** birthday is on the 28th April   b. ~~your~~ **My** name is Roberto and ~~you are~~ **I am** from Spain
c. I am **23** years old   d. My friend ~~I am~~ **is** called Jordi   e. ~~I have~~ **He is** 26 years old
f. ~~my~~ **his** birthday is the ~~1~~ **4**th April   g. I ~~am from~~ **live in** Madrid

2. Translate into English

a. 8th October   b. My birthday is on   c. My friend (*m*) is called   d. His birthday is on   e. 11th January
f. 14th February   g. 25th December   h. 8th July   i. 1st June

3. Phrase-level translation

a. Me llamo   b. Tengo diez años   c. Mi cumpleaños es el...   d. ...el siete de mayo   e. Mi amiga se llama Bella
f. Tiene doce años   g. Su cumpleaños es el   h. el veintitrés de agosto   i. el veintinueve de abril

4. Sentence-level translation

a. Me llamo César. Tengo treinta años. Vivo en España. Mi cumpleaños es el once de marzo.
b. Mi hermano se llama Pedro. Tiene catorce años. Su cumpleaños es el dieciocho de agosto.
c. Mi amigo se llama Juan. Tiene veintidós años y su cumpleaños es el catorce de junio.
d. Mi amiga se llama Angela. Tiene dieciocho años y su cumpleaños es el 25 de julio.
e. Mi amigo se llama Anthony. Tiene veinte años. Su cumpleaños es el veinticuatro de septiembre.

TERM 1 – BRINGING IT ALL TOGETHER – 2

1. Complete with the missing details

a. Ana is from **Madrid**, whilst Pedro is from **Barcelona**
b. Ana is feeling a bit **tired**
c. Ana is **14** years old, whilst Pedro is **13**
d. Ana has an older **brother** and a younger **sister**
e. Ana's birthday is on **18th July**
f. Pedro's birthday is on **18th July**
g. Luis is Ana's **brother**
h. Paloma's birthday is on **24th March**
i. **Luis'** birthday is on 13th January

2. Find someone…

a. Luis   b. Pedro   c. Ana   d. Ana   e. Pedro   f. Ana   g. Laura   h. Ana   i. Ana and Pedro   j. Ana   k. Pedro

3. Find the Spanish equivalent in the text and write it in the spaces provided

a. Me llamo

b. Soy de

c. Tengo trece años

d. ¿Cuándo es tu cumpleaños?

e. Me tengo que ir

f. El cumpleaños de Luis

g. El veinticuatro de marzo

h. Tu hermano Luis

i. Por cierto

j. Mi cumpleaños es

k. Gracias por preguntar

l. Se llaman

4. Find in the text Spanish words that look/sound like the English words below

a. Mucho   b. Polonia   c. Estresada   d. Cierto   e. Mayor   f. Menor   g. Leonardo   h. Favorito   i. Coincidencia
j. Número

5. Translate into English

a. Where are you from?   b. I'm from Alicante   c. I'm a bit stressed   d. I'm 12   e. I have two older brothers
f. They are called Alfredo and Alfonso   g. I have a younger brother and a younger sister

6. The sentences below have been copied incorrectly. Can you fix them?

a. Tengo doce años   b. Mis hermanos se llaman   c. Tengo dos **hermanos mayores**
d. ¿Cuándo **es** tu cumpleanos, Roberto?   e. Mi cumpleaños es el once **de** febrero   f. ¡Qu**é** gracioso!
g. ¿Cuántos años tienes?

7. Match questions and answers

¿**Cómo te llamas?** – Roberto

¿**De dónde eres?** – Soy de Polonia

¿**Cómo estás?** – Estoy bien, gracias

¿**Tienes hermanos?** – Sí, tengo dos

¿**Cuándo es tu cumpleaños?** – El once de enero

¿**Cuál es tu número favorito?** – El número once

TRANSCRIPTS: Unit 3 – Saying where I live and am from

1. Fill in the blanks

a. Hola. Me **llamo** David. Vivo en una **casa** muy grande en el centro de la **ciudad**.
b. Buenos días. Me llamo Conchi. **Soy** de Madrid. **Vivo** en un piso pequeño en las **afueras**.
c. ¿Qué tal? **Me** llamo Maya. Soy **de** Cádiz. Vivo en un **piso** bonito en la costa.
d. Hola. Me llamo **Pedro**. Soy de Quito, en **Ecuador**. Vivo en una casa muy **pequeña** en la montaña.
e. Buenos **días**. Me llamo Daniel, vivo en Buenos Aires, en **Argentina**. Vivo en un edificio **antiguo** en el centro de Buenos Aires.
f. **Hola**. Me llamo Beatriz. Vivo en **una** casa grande pero un poco **fea** en La Habana.

2. Multiple choice quiz: select the correct location

a. Javier vive en Valencia.   b. Samuel vive en Cartagena.   c. Juan Pablo vive en Lima.
d. Paco vive en Quito.   e. Selina vive en Bilbao.   f. Ariana vive en Málaga.
g. Patricio vive en Bogotá.   h. Manuel vive en Marbella.

3. Spot the intruders: identify the words the speaker is NOT saying

Hola. Me llamo Jaime. Tengo (~~un~~) catorce años y vivo (~~ya~~) en La Habana, (~~el~~) la capital de Cuba. En mi familia (~~somos~~) hay cuatro personas: mis padres, (~~mi hermana~~), mi hermano y yo. Mi hermano (~~que~~) se llama Benicio. Vivo en una (~~la~~) casa pequeña en el centro de La Habana. Mi casa es (~~muy~~) bonita.

4. Geographical mistakes: listen and correct

a. Me llamo Nina. Soy de Barcelona. Barcelona está en ~~Aragón~~ **Cataluña.**
b. Me llamo Pedro. Soy de Santiago. Santiago está en ~~Argentina~~ **Chile.**
c. Me llamo Consuelo. Soy de Madrid. Madrid está en ~~Cataluña~~ **España.**
d. Me llamo Juan. Soy de Quito. Quito está en ~~Perú~~ **Ecuador.**
e. Me llamo Jaime. Soy de La Habana. La Habana está en ~~España~~ **Cuba.**
f. Me llamo Ariana. Soy de Cartagena. Cartagena está en ~~Venezuela~~ **Colombia.**

5. Spelling challenge: which place names are being spelled out?

1. CUBA 2. LIMA   4. MADRID   5. MELILLA   6. ZARAGOZA   7. BARCELONA

6. Faulty translation: spot the translation errors and correct them

a. Me llamo Maya. Soy de **España**. Tengo doce años.
b. Vivo en Cataluña, una región del **norte** de España.
c. Soy **pelirrojo** y tengo los ojos **marrones**. Mi pelo es largo y **liso**.
d. Vivo con mi madre, Eugenia y mis dos **hermanas**, Silvia y Paola…
e. …en un pequeño apartamento en las **afueras** de Barcelona.
f. Mi piso está en un edificio **moderno**. Es feo.
g. Mi padre vive en una casa **grande** en la **costa**. Su casa es **bonita** y moderna.

7. Spot the missing words and write them in

a. Vivo **en** Bogotá, la capital **de** Colombia. Bogotá es una ciudad **muy** hermosa. Vivo en un piso **pequeño** en un edificio moderno en el centro **de la** ciudad.
b. Vivo con mi familia en Málaga, una ciudad turística en el sur **de** España. Vivo en **una** casa moderna en las afueras de **la** ciudad.
c. Vivo en Quito, la capital de Ecuador. Vivo allí con mi familia y **mi** perro. Vivo en un piso grande **pero** feo en un edificio **antiguo**.
d. Vivo en Valencia, **en** España. Vivo en una casa **muy** grande y moderna en la costa.

8. Narrow listening: gapped translation

Me llamo Julián. Tengo **17** años y mi cumpleaños es el **30** de agosto. **Vivo** en Bilbao, en el País Vasco, en el **norte** de España. Vivo en una casa **vieja** en las **afueras**. Tengo dos **hermanas**, Maite y Silvia. Maite es muy **guapa** pero un poco tonta. Silvia es un poco **fea** pero muy **inteligente** y divertida. Mi amigo Rubén **vive** en Barcelona pero él es de

Bilbao como **yo**. Vive en un **edificio** moderno en el **centro**. Tiene un perro grande que se llama **Rey**. Vive en un piso grande y **bonito**.

9. Listening slalom: follow the speaker from top to bottom and number the boxes accordingly

(a) Vivo en Argentina, cerca de Buenos Aires. Tengo 15 años y vivo en un piso pequeño en un edificio moderno. Mi piso es feo pero es muy grande.
(b) Soy de Bolivia y vivo cerca de La Paz. Tengo 12 años y vivo en una casa pequeña cerca de un lago. Mi casa es moderna.
(c) Soy de Perú y vivo en Lima. Tengo 16 años y vivo en un piso en un edificio antiguo. Mi piso es acogedor y bonito.
(d) Soy de España y vivo en Málaga. Tengo 14 años y vivo en una casa grande en la costa. Me gusta mi casa porque es grande.
(e) Soy de Colombia y vivo en Bogotá. Tengo 13 años y vivo en una casa muy pequeña en el centro de la ciudad. Mi casa es bonita y espaciosa.

ANSWERS: Unit 3 – Saying where I live and am from

Unit 3. Saying where I live and am from: LISTENING

1. Fill in the blanks

a. Hola. Me **llamo** David. Vivo en una **casa** muy grande en el centro de la **ciudad**.
b. Buenos días. Me llamo Conchi. **Soy** de Madrid. **Vivo** en un piso pequeño en las **afueras**.
c. ¿Qué tal? **Me** llamo Maya. Soy **de** Cádiz. Vivo en un **piso** bonito en la costa.
d. Hola. Me llamo **Pedro**. Soy de Quito, en **Ecuador**. Vivo en una casa muy **pequeña** en la montaña.
e. Buenos **días**. Me llamo Daniel, vivo en Buenos Aires, en **Argentina**. Vivo en un edificio **antiguo** en el centro de Buenos Aires.
f. **Hola**. Me llamo Beatriz. Vivo en **una** casa grande pero un poco **fea** en La Habana.

2. Multiple choice quiz: select the correct location

a. Valencia   b. Cartagena   c. Lima   d. Quito   e. Bilbao   f. Málaga   g. Bogotá   h. Marbella

3. Spot the intruders: identify the words the speaker is NOT saying

Hola. Me llamo Jaime. Tengo (~~un~~) catorce años y vivo (~~ya~~) en La Habana, (~~el~~) la capital de Cuba. En mi familia (~~somos~~) hay cuatro personas: mis padres, (~~mi hermana~~), mi hermano y yo. Mi hermano (~~que~~) se llama Benicio. Vivo en una (~~la~~) casa pequeña en el centro de La Habana. Mi casa es (~~muy~~) bonita.

4. Geographical mistakes: listen and correct

a. Barcelona está en ~~Aragón~~ **Cataluña**   b. Santiago está en ~~Argentina~~ **Chile**
c. Madrid está en ~~Cataluña~~ **España**   d. Quito está en ~~Perú~~ **Ecuador**
e. La Habana está en ~~España~~ **Cuba**   f. Cartagena está en ~~Venezuela~~ **Colombia**

5. Spelling challenge: which place names are being spelled out?

1. CUBA   2. LIMA   3. QUITO   4. MADRID   5. MELILLA   6. ZARAGOZA   7. BARCELONA

6. Faulty translation: spot the translation errors and correct them

My name is Maya. I am from **Spain**. I am twelve. I live in Catalunya, a region in the **north** of Spain.
I have **red** hair and **brown** eyes. My hair is long and **straight**.
I live with my mother, Eugenia and my two **sisters**, Silvia and Paola, in a small flat on the **outskirts** of Barcelona. My flat is in a **modern** building. It is **ugly**. My father lives in a **big** house on the **coast**. His house is **pretty** and modern.

7. Spot the missing words and write them in

a. Vivo **en** Bogotá, la capital **de** Colombia. Bogotá es una ciudad **muy** hermosa. Vivo en un piso **pequeño** en un edificio moderno en el centro **de la** ciudad.
b. Vivo con mi familia en Málaga, una ciudad turística en el sur **de** España. Vivo en **una** casa moderna en las afueras de **la** ciudad.
c. Vivo en Quito, la capital de Ecuador. Vivo allí con mi familia y **mi** perro. Vivo en un piso grande **pero** feo en un edificio **antiguo.**
d. Vivo en Valencia, **en** España. Vivo en una casa **muy** grande y moderna en la costa.

8. Narrow listening: gapped translation

My name is Julian. I am **17** years old and my birthday is on **30**[th] August. I **live** in Bilbao, in the Basque Country, in the **north** of Spain. I live in an **old** house on the **outskirts.** I have two **sisters,** Maite and Silvia. Maite is very **pretty** but a bit silly. Silvia is a bit **ugly** but very **intelligent** and funny. My friend Ruben **lives** in Barcelona but he is from Bilbao like **me**. He lives in a modern **building** in the **centre.** He has a big dog called **Rey.** He lives in a big and **beautiful** flat.

9. Listening slalom: follow the speaker from top to bottom and number the boxes accordingly

e.g. I live in Argentina, near Buenos Aires. I am 15 and I live in a small flat in a modern building. My flat is ugly but very big.
a. I am from Bolivia and I live near La Paz. I am 12 and I live in a small house near a lake. My house is modern.
b. I am from Peru and I live in Lima. I am 16 and I live in a flat in an old building. My flat is cosy and beautiful.
c. I am from Spain and I live in Málaga. I am 14 and I live in a big house on the coast. I like my house because it is big.
d. I am from Colombia and I live in Bogotá. I am 13 and I live in a very small house in the city centre. My house is pretty and spacious.

Unit 3. Saying where I live and am from: VOCAB BUILDING

1. Complete with the missing word

a. Vivo en **una** casa bonita   b. Me gusta mi **piso**   c. Soy **de** Madrid   d. **Vivo** en un piso pequeño
e. Un piso en un **edificio** antiguo   f. **Soy** de Santiago, la capital de Chile   g. Vivo en una casa **fea**
h. Vivo en las **afueras.**

2. Match

el centro – the centre   **bonita** – pretty   **grande** – big   **edificio** – building   **antiguo** – old   **las afueras** – the outskirts
la costa – the coast   **España** – Spain   **soy de** – I am from   **fea** – ugly   **pequeña** – small   **vivo en** – I live in

3. Translate into English

a. I am from Argentina   b. I live in a house   c. My flat is small   d. I am from Santiago, in Chile   e. In a modern building f. I am from Lima, the capital of Peru   g. I live in a flat, on the coast of   h. I am from Cartagena, in Colombia

4. Add the missing letter(s)

a. Bogotá   b. Madrid   c. Barcelona   d. Montevideo   e. Buenos Aires   f. Zaragoza   g. Cartagena   h. Colombia
i. País Vasco   j. Cuba

5. Broken words

a. **Soy** de la **Habana,** en **Cuba**   b. **Vivo** en **una casa antigua** c. **Soy** de **Madrid, la capital** de **España**
d. **Vivo** en **un** piso en la **costa** de Chile e. **Vivo** en **una casa pequeña** pero **bonita**
f. **Soy** de **Montevideo** y **vivo** en **un edificio antiguo**   g. **Soy** de Quito

6. Complete with a suitable word

a. Soy **de** Bilbao   b. Vivo **en** un piso bonito   c. En un **piso** antiguo   d. Vivo en una casa en el **campo**
e. Lima es la capital de **Perú**   f. Vivo en una casa **bonita/fea**   g. Soy de **Bogotá/Zaragoza**

h. Vivo en un piso **en un edificio antiguo/grande**. i. Soy de Santiago, en **Chile** j. Bogotá es la capital de **Colombia**
k. Vivo en una casa en la **costa**

Unit 3. "Geography test". Match the numbers to the cities

Spain:

1 – **Cádiz** 2 – **Madrid** 3 – **Barcelona** 4 – **La Coruña** 5 – **Bilbao**

Latin America:

1 – **México D.F.** (México) 2 – **Santiago** (Chile) 3 – **Bogotá** (Colombia) 4 – **Lima** (Perú)
5 – **La Habana** (Cuba) 6 – **Buenos Aires** (Argentina) 7 – **Montevideo** (Uruguay) 8 – **Quito** (Equador)
9 – **La Paz** (Bolivia)

Unit 3. Saying where I live and am from: READING

1. Find the Spanish for the following in Isabela's text

a. me llamo b. tengo veintiún años c. vivo en d. un piso grande e. en las afueras f. el dos de junio
g. tengo un perro h. es muy grande i. su cumpleaños es el uno de abril j. tiene tres años
k. también tengo una araña

2. Complete the statements below based on Carlos's text

a. I am **22** years old b. My birthday is the **9**th of **August** c. I live in a **pretty** house
d. My house is in the **centre** of town e. I like Eduardo but Ruben is **silly** f. My friend José **lives** in Barcelona
g. He lives in an old **building**

3. Answer the questions on the four texts above

a. 15 b. Because they are twins c. Carlos d. Isabela e. Because she celebrates both at the same time f. Carlos
g. Isabela h. Carlos i. Marina

4. Correct any incorrect statements about Estefanía's text

a. Estefanía vive en Cartagena, en **la costa** de Colombia b. CORRECT c. Su cumpleaños es en **mayo**
d. El cumpleaños de Shakira es el **treinta** de marzo e. Estefanía vive en una casa grande **y bonita** en la costa
f. CORRECT

Unit 3. Saying where I live and am from: TRANSLATION/ WRITING

1. Translate into English

a. I live in b. a house c. a flat d. pretty e. big f. in a building g. old h. modern i. in the centre
j. on the outskirts k. by the coast l. I am from m. in Spain n. in Peru

2. Gapped sentences

a. Vivo en una **casa** fea b. Un piso en un **edificio** nuevo c. Vivo en un **piso** pequeño d. Una **casa** en las **afueras**
e. **Soy de** Madrid f. La **capital** de España

3. Complete the sentences with a suitable word

a. Vivo en **La Habana**, la capital de Cuba b. Soy de Santiago, en **Chile** c. Vivo en un **piso** bonito en las **afueras**
d. Vivo en una casa bonita y **grande** e. **Soy** de Quito, la **capital** de Ecuador f. Vivo en un **piso** moderno en el centro

4. Phrase-level translation

a. Vivo en b. Soy de c. una casa d. un piso e. feo f. pequeño g. en un edificio antiguo h. en el centro
i. en las afueras j. en la costa k. en Cataluña

5. Sentence-level translation

a. Soy de Bilbao, en el País Vasco en España. Vivo en una casa grande y bonita en las afueras.
b. Soy de Buenos Aires, la capital de Argentina. Vivo en un piso pequeño y feo en el centro.
c. Soy de Montevideo, la capital de Uruguay. Vivo en un piso en un edificio nuevo en la costa. Mi piso es grande, pero feo.
d. Soy de Cádiz, en Andalucía, en España. Vivo en un piso en un edificio antiguo en las afueras. Me gusta mi piso.

Unit 3. Saying where I live and am from: WRITING

1. Complete with the missing letters

a. Me llamo Paco   b. Vivo en una casa bonita   c. Vivo en un piso grande   d. Vivo en una casa en el centro
e. Soy de Bogotá en Colombia   f. Yo soy de Buenos Aires en Argentina   g. Vivo en un piso pequeño en las afueras
h. Soy de La Habana en Cuba

2. Spot and correct the spelling mistakes

a. Soy de Bogotá, en Colombia   b. Vivo en Bilbao, en el País Vasco   c. Vivo en una casa fea
d. Vivo en un piso pequeño   e. Vivo en un ~~moderno~~ edificio **moderno**   f. Vivo en Andalucía
g. Soy de Barcelona, en Cataluña   h. Soy de Cádiz, en España

3. Answer the questions in Spanish

a. Me llamo Julia   b. Tengo once años   c. Mi cumpleaños es el ocho de agosto   d. Soy de Pamplona
e. Vivo en Santander   f. Vivo en una casa

4. Anagrams: regions of Spain and Latin American countries

a. Chile   b. Cataluña   c. Andalucía   d. Cuba   e. Ecuador   f. España   g. Perú   h. Colombia   i. Uruguay   j. Aragón

5. Guided writing

Samuel: Me llamo Samuel y tengo doce años. Mi cumpleaños es el veinte de junio. Vivo en Buenos Aires, en Argentina.
Ale: Me llamo Ale y tengo catorce años. Mi cumpleaños es el catorce de octubre. Vivo en Madrid, en España.
Andrés: Me llamo Andrés y tengo once años. Mi cumpleaños es el catorce de enero. Vivo en Bogotá, en Colombia.
Carlos: Me llamo Carlos y tengo trece años. Mi cumpleaños es el diecisiete de enero. Vivo en La Habana, en Cuba.
Nina: Me llamo Nina y tengo quince años. Mi cumpleaños es el diecinueve de octubre. Vivo en Santiago, en Chile.

6. Describe this person in the third person

Se llama Alejandro y tiene dieciséis años. Su cumpleaños es el quince de mayo. Es de Quito, en Ecuador y vive en Madrid, en España.

TERM 1 – BRINGING IT ALL TOGETHER – 3

1. Find the Spanish equivalent in the text

a. Soy cubano   b. Hoy   c. Estoy feliz   d. Tengo una hermana   e. Que se llama   f. Tiene
g. Está un poco triste   h. Su cumpleaños   i. En un piso grande   j. En las afueras   k. Grande y bonito
l. Una casa pequeña en la costa

2. Complete the sentences based on Paco's text

a. My name is Paco. Today I am feeling **well**
b. I am **happy** and calm
c. My sister is **5** years old
d. Today Bárbara is feeling a bit **sad**

e. Today Lionel is happy because it is **his birthday**
f. Paco lives in a big, **beautiful** and modern flat
g. Sofía lives in a **small** house on the **coast**
h. Carlos lives in a modern **building**

3. Answer the questions below in English

a. Paco   b. Paco's best friend   c. Sofía   d. Sofía and Carlos   e. Sofía's   f. Paco   g. Sofía

4. The second paragraph in Paco's text was copied incorrectly with EIGHT words missing. Can you spot them and add them in?

Mi cumpleaños es el doce **de** septiembre. Tengo una hermana **que** se llama Bárbara y un hermano que **se** llama Lionel. Bárbara tiene cinco **años** y Lionel tiene nueve años. Hoy Bárbara no **está** muy bien, está **un** poco triste. Sin embargo *(however),* Lionel **está** fenomenal. Está muy feliz porque **es** su cumpleaños.

5. Spot the 9 mistakes in the following translation of Ramón's first 2 paragraphs

My name is Ramón. I am Venezuelan. I am **nine** years old and live in Caracas, the capital of Venezuela. Today I am **very** well. I am happy and very **calm**. My birthday is on 3rd August. I have a sister who is called Leona and a **cousin** called Félix. Leona is **eight** and Félix is **eleven**. Today Leona is not very well. She is very **stressed**. However, Félix is **great**. Today he is very **happy**.

6. Complete the following translation of paragraphs 3 and 4 in Ramón's text

My family and I live in a **big** and modern, but a bit ugly house, in La Guaira, on the **coast** of Caracas. I **like** my house because it is **near** the beach.

My friend is called Renata and is **11** years old. Her **birthday** on 17th April. She **also** lives in a house on the **coast**. Her house is very **small**, but very modern and **beautiful**. Normally it is very **clean**. In her **free time** she **always** plays the violin.

7. Tick the words on the list below which are included in the text and translate them into English

a. **Hoy – Today**	h. Nunca
b. **Su – His / Her**	i. A veces
c. Con	j. **También – Also**
d. **De – Of**	k. Me encanta
e. Además	l. **Toca – Plays**
f. Desde	m. Juego
g. **Siempre – Always**	n. Tampoco

8. Answer the following questions in Spanish, as if you were Ramón. Note: you can use whole sections of the text, provided they are relevant

a. Me llamo Ramón.

b. Soy de Venezuela.

c. Estoy muy bien.

d. Mi primo se llama Félix.

e. Leona no está muy bien, está estresada.

f. Paco es mi mejor amigo.

g. Renata vive en una casa en la costa.

h. Su casa es muy pequeña, pero muy moderna y bonita.

i. Paco tiene ocho años.

j. En su tiempo libre Paco siempre juega al fútbol.

TERM 1 – MIDPOINT – RETRIEVAL PRACTICE

1. Answer the following questions in Spanish – Students' own answers

2. Write a paragraph in the first person singular (I) providing the following details

Me llamo Fabio. Soy italiano pero vivo en Cádiz, en el sur de España. Tengo once años y mi cumpleaños es el veintinueve de julio. Tengo un hermano mayor que se llama Mauro y un hermano menor que se llama Silvio. Mauro tiene dieciséis años y su cumpleaños es el uno de enero. Silvio tiene ocho años y su cumpleaños es el treinta de junio. Vivo en una casa en las afueras. Me gusta mi casa porque siempre está limpia y es bastante espaciosa.

3. Write a paragraph in the third person singular (he/she) providing the following details about your best friend or a member of your family. – Students' own answers

TRANSCRIPTS: Unit 4 - Things I like/dislike: school subjects & teachers

1. Underline the word you hear

a. La profe de francés es **divertida**
b. La geografía es **interesante**
c. Las ciencias son muy **útiles**
d. La educación física es **agotadora**

e. **Me encanta** la música
f. La profe de alemán es **simpática**
g. Las matemáticas son **difíciles**
h. El profe es un poco **antipático**

2. Break the flow

a. Me gusta el alemán pero es difícil
b. A mi amigo le gusta el español
c. No me gustan las matemáticas
d. Me gusta porque aprendo mucho

e. Es útil para el futuro
f. Tengo amigos en clase
g. La profesora es muy buena

3. Listening for detail: what subjects does Paloma do each day? Tick the correct ones

Hola, me llamo Paloma y soy de San Roque, en España. Los lunes estudio español y francés. ¡Me encanta el español! Los martes estudio ciencias y geografía. Mis profes son muy simpáticos. Los miércoles tengo clase de educación física e informática. La educación física es divertida pero agotadora. Los jueves estudio arte e historia. Tengo muchos amigos en clase. Finalmente, los viernes tengo clase de química e inglés. ¡El inglés es mi clase favorita!

4. Complete with the missing words

a. Me encanta **el** español porque es **divertido**
b. **A** mi amigo **le** gustan las matemáticas
c. No me **gustan** las ciencias
d. …porque no **son** muy interesantes

e. Me gusta **porque** tengo **amigos** en clase
f. El arte es un poco **aburrido**
g. La **infórmatica** es muy **útil** para el futuro
h. El profesor **es** muy **bueno**

5. Listen and fill in the grid

e.g. Tengo clase de español. Me gusta porque el profesor es muy bueno.
a. Tengo clase de matemáticas. No me gusta porque es muy difícil.
b.Tengo clase de geografía. Me encanta porque aprendo mucho en clase.
c. Tengo clase de arte. No me gusta porque es un poco aburrido.
d. Tengo clase de ciencias. Me gusta porque la profe es buena.
e. Tengo clase de informática. Me gusta porque es útil para el futuro.

6. Listen and correct the mistakes

a. En **el** colegio estudio **historia**
b. Me **gusta** el español porque es **divertido**
c. Me gusta porque tengo **amigos** en clase
d. No **me** gustan las ciencias porque son **aburridas**

e. **A** mi amigo no le gusta la **química**
f. Las matemáticas **son** muy **útiles**
g. Me gusta porque la **profesora** es **buena**
h. No **me** gusta porque **no** aprendo **mucho** en clase

7. Spot the difference and correct the text

Me llamo Jaume Llorens. Soy de Barcelona. En el colegio estudio inglés, catalán, **español** y francés. Me gusta **mucho** el español porque es muy **divertido** y aprendo mucho en **clase**. Es muy **interesante** y útil para el futuro. Además, tengo muchos **amigos** en clase. Mi amigo estudia francés y **religión**. A mi amigo **no le gusta** el francés porque es bastante **complicado**.

8. Narrow listening: gapped translation

Me llamo Gary. Tengo **doce** años. Soy **de** Bilbao, en el País Vasco. En el **colegio** estudio inglés, español, francés y **alemán.** Mi asignatura favorita es el **español** porque el profesor es **muy bueno** y porque **aprendo** mucho en **clase.** A mi amigo no le gustan las **ciencias** porque piensa que el **profesor** es un poco **aburrido** y no tiene muchos **amigos** en clase. Sin embargo, es una asignatura importante porque es **útil** para el **futuro.** También me gustan las **matemáticas,** pero son bastante **difíciles.**

9. Listening slalom: follow the speaker from top to bottom and number the boxes accordingly

a. En el colegio, estudio español, francés e historia. Mi asignatura favorita es la historia.
b. Me gusta el arte porque es interesante y tengo muchos amigos en clase.
c. Los lunes tengo clase de informática y me encanta porque es útil para el futuro.
d. Mi asignatura favorita es el alemán porque mi profesor es muy bueno.

ANSWERS: Unit 4 - Things I like/dislike: school subjects & teachers

Unit 4. Things I like/dislike: school subjects & teachers: LISTENING

1. Underline the word you hear

a. La profe de francés es **divertida**
b. La geografía es **interesante**
c. Las ciencias son muy **útiles**
d. La educación física es **agotadora**

e. **Me encanta** la música
f. La profe de alemán es **simpática**
g. Las matemáticas son **difíciles**
h. El profesor es un poco **antipático**

2. Break the flow

a. Me gusta el alemán pero es difícil
c. No me gustan las matemáticas
e. Es útil para el futuro
g. La profesora es muy buena

b. A mi amigo le gusta el español
d. Me gusta porque aprendo mucho
f. Tengo amigos en clase

3. Listening for detail: what subjects does Paloma do each day? Tick the correct ones

Monday: Spanish, French
Tuesday: Science, Geography
Wednesday: PE, IT
Thursday: History, Art
Friday: Chemistry, English

4. Complete with the missing words

a. Me encanta **el** español porque es **divertido**
c. No me **gustan** las ciencias
e. Me gusta **porque** tengo **amigos** en clase
g. La **infórmatica** es muy **útil** para el futuro

b. **A** mi amigo **le** gustan las matemáticas
d. …porque no **son** muy interesantes
f. El arte es un poco **aburrido**
h. El profesor **es** muy **bueno**

5. Listen and fill in the grid

	Subject	Love/Like/Dislike	Reason
a.	**Maths**	Dislike	Very difficult
b.	**Geography**	Love	Learn a lot in class
c.	**Art**	Dislike	A bit boring
d.	**Science**	Like	Teacher is good
e.	**IT**	Like	Useful for the future

6. Listen and correct the mistakes

a. En **el** colegio estudio **historia**
b. Me **gusta** el español porque es **divertido**
c. Me gusta porque tengo **amigos** en clase
d. No **me** gustan las ciencias porque son **aburridas**
e. **A** mi amigo no le gusta la **química**
f. Las matemáticas **son** muy **útiles**
g. Me gusta porque la **profesora** es **buena**
h. No **me** gusta porque **no** aprendo **mucho** en clase

7. Spot the difference and correct the text

Me llamo Jaume Llorens. Soy de Barcelona. En el colegio estudio inglés, catalán **español** y francés. Me gusta **mucho** el español porque es muy **divertido** y aprendo mucho en **clase**. Es muy **interesante** y útil para el futuro. Además, tengo muchos **amigos** en clase. Mi amigo estudia francés y **religión**. A mi amigo **no le gusta** el francés porque es bastante **complicado**.

8. Narrow listening: gapped translation

My name is Gary. I am **12** years old. I am **from** Bilbao, in the Basque Country. At **school** I study English, Spanish, French and **German**. My favourite subject is **Spanish** because the teacher is **very good** and because I **learn** a lot in **class**. My friend doesn't like **science** because he thinks that the **teacher** is a bit **boring** and he doesn't have many **friends** in class. However, it is an important subject because it is **useful** for the **future**. I also like **maths**, but they are quite **hard**.

9. Listening slalom: follow the speaker from top to bottom and number the boxes accordingly

a. At school, I study Spanish, French and history. My favourite subject is history.
b. I like art because it is interesting and I have many friends in class.
c. On Mondays I have IT class and I love it because it is useful for the future.
d. My favourite subject is German because my teacher is very good.

Unit 4. Things I like/dislike: school subjects & teachers: VOCABULARY BUILDING

1. Match

Me gusta – I like   **Las ciencias** – Science   **Porque** – Because   **No me gusta** – I don't like   **Aburrido** – Boring
Mi amigo – My friend   **Divertido** – Fun   **Fácil** – Easy   **Interesante** – Interesting

2. Faulty translation: correct the English

a. Me gustan las ciencias — *I like **Science***
b. El inglés es aburrido — *English is **boring***
c. El francés es divertido — *French is **fun***
d. La historia es interesante — ***History** is interesting*
e. A mi amigo le gusta el arte — *My friend **likes** art*
f. Las matemáticas son fáciles — *Maths is **easy***
g. La informática es aburrida — *ICT is **boring***
h. Aprendo mucho — *I **learn** a lot*
i. Es útil para el futuro — *It is **useful** for the future*

3. Spot the hidden word in each sequence of letters

a. *Fun*   aburridofácilmuchogusta**divertido**difícilamigociencias
b. *Easy*   ciencias**fácil**muchomatemáticasdivertidodifícilamigo
c. *Boring*   megustaescuchoaprendo**aburrido**meencantainglés
d. *Because*   artecomplicadogustaamigo**porque**aprendo
e. *It is*   amigoalemáncomplicadobueno**es**porquedivertidomuy
f. *Science*   megustanmucholas**ciencias**porque
g. *Friend (fem.)*   ami**amiga**nolegustanlasciencias

4. Translate into English

a. Interesting   b. Complicated   c. Boring   d. Fun   e. Useful   f. Good   g. Easy

5. Complete the table

Español	English
Aburrido	**Boring**
Útil	Useful
Divertido	Fun
Bueno	**Good**
Interesante	Interesting
Porque	**Because**
Fácil	Easy
Complicado	Complicated
Tengo amigos	**I have friends**
Tengo amigos	I have friends
Es útil	**Is useful**

6. Insert 'gusta' or 'gustan' as appropriate

a. Me **gusta** el arte   b. No me **gustan** las ciencias   c. Me **gustan** las matemáticas   d. Me **gusta** la química
e. Me **gusta** el inglés   f. Me **gustan** los idiomas   g. No me **gusta** el francés   h. Me **gusta** el español
i. No me **gusta** la historia   j. Me **gusta** la música   k. Me **gustan** los profesores   l. Me **gusta** la educación fisica

7. Complete the words

a. **Por**que   b. Cien**cias**   c. Le gusta el ar**te**   d. El inglé**s**   e. No m**e** gusta   f. E**s** divert**ida**   g. La mú**sica**
h. Los idioma**s**   i. El franc**és**   j. La histo**ria**   k. El españ**ol**   l. Buen**o**

Unit 4. Things I like/dislike: school subjects & teachers: READING

1. Find the Spanish for the following in Enrique's text

a. I live: **V**ivo   b. School: **E**scuela   c. Outskirts: **A**fueras   d. Hard–working: **T**rabajadores
e. They help me: **M**e **a**yudan   f. Good (sing.): **B**ueno   g. I learn: **A**prendo   h. Also: **T**ambién
i. Exhausting: **A**gotador(a)

2. Complete based on Enrique's text

a. He is **13**   b. He has **3** siblings   c. His Spanish teacher is **good** and **helps him**   d. He loves **Spanish**
e. Science is **fun**   f. He **also** likes PE   g. PE is **exhausting**   h. History is **boring**

3. Spot and correct the 11 mistakes in the following translation of Ignacio's text

My name is Ignacio. I am **fifteen** years old and my birthday in on 8th June. I live in Granada. I am **an only child**. I go to the instituto La Pineda, a quite large secondary school **on the outskirts** of the city, near the stadium. I like my school because the teachers are very good, **hard-working** and are not strict. My favourite **subject** is ICT because it is interesting and **useful** and the teacher is **fun** and patient. I **learn** very much in his lessons. I also like foreign languages, especially **German**, because the teachers and very **good** and fun. I don't like at all maths because they are complicated, boring and tiring

4. Find the Spanish for the following in Roberta's text

a. Only child: **hija única**
b. School: **colegio**
c. Port: **puerto**
d. Good: **buenos**
e. Hard-working: **trabajadores**
f. I learn: **aprendo**
g. Friendly: **simpático**
h. English: **inglés**

5. Find someone who

a. Roberta   b. Ignacio   c. Roberta   d. Ignacio   e. Enrique   f. Roberta   g. Roberta

6. Asnwer these questions about Roberta

a. In the city centre   b. Good, hard-working and strict   c. Because it's easy and the teacher is friendly
d. They are complicated and boring

Unit 4. Things I like/dislike: school subjects & teachers: TRANSLATION

1. Translate into English

a. I like English   b. The teacher is good   c. I learn a lot   d. I don't like at all   e. It is complicated
f. It is boring   g. I like history a lot   h. I like science   i. I have friends at class   j. It is exhausting
k. I like languages a lot

2. Gapped translation

a. Me gusta **mucho** el inglés   b. **Aprendo** mucho   c. Me encantan las **ciencias**   d. Tengo **amigos** en clase
e. Es **útil** para el futuro   f. Es profesor es **bueno**

3. Tangled translation: into Spanish

a. Me gusta el **inglés** porque tengo **amigos en** clase
b. No me gustan **nada** las **ciencias porque** son **aburridas**
c. **No me gustan** las **matemáticas** porque la profesora es **mala**
d. No me gusta la **educación** física **porque** es **agotadora**
e. **Me encanta** el español porque **la** profesora **es divertida** y **simpática**
f. **Me gusta** la informática **porque** es **útil** para el **futuro**
g. No me gusta el **francés** porque **es** complicado

4. Phrase level translation: English to Spanish

a. Me gustan las ciencias   b. Aprendo mucho   c. Tengo amigos   d. Es complicada   e. Son aburridas
f. Son útiles   g. Me encanta el francés   h. En clase   i. Es aburrido   j. Me gustan las matemáticas
k. Para el futuro   l. Me gusta mucho la historia   m. El profesor es bueno   n. El profesor es malo

5. Sentence level translation: English to Spanish

a. Me gusta el francés porque tengo amigos en clase
b. No me gustan las ciencias porque el profesor es aburrido
c. Me encanta el español porque es útil para el futuro
d. No me gustan las matemáticas porque son complicadas
e. No me gusta la historia porque el profesor es malo
f. No me gusta la gimnasia porque es agotadora
g. Me gusta la informática porque el profesor es bueno y divertido

Unit 4. Things I like/dislike: school subjects & teachers: WRITING

1. Anagrams

a. Las ciencias son aburridas   b. El inglés es divertido   c. Aprendo mucho en las clases
d. No me gustan las matemáticas   e. Me gusta bastante el francés   f. Es útil para el futuro
g. La profe es buena   h. Tengo amigos en clase

2. Broken words

a. Apre**ndo** mu**cho** en las cla**ses**   b. Mi profe**sora** es simp**ática**   c. No me gu**stan** las cien**cias**
d. E**s** út**il** para el fut**uro**   e. El profe**sor** de art**e** es agot**ador**   f. Ten**go** ami**gos** en clase
g. Mi profesor es divert**ido**   h. No m**o** gusta el fra**ncés**   i. Las mate**máticas** son aburri**das**

3. Complete with the missing words

a. No me **gustan** las ciencias   b. Me **gusta** mucho el francés   c. No **me** gustan **las** matemáticas
d. Me gusta **el** inglés porque el **profesor** es bueno   e. A mi amigo **le** gusta el arte **porque** es divertido
f. Me encanta **el** español porque **es** apasionante   g. Me gusta la informática porque es **útil** para el futuro
h. Tengo muchos **amigos** en clase

4. Complete with *gusta* or *gustan* as appropriate

a. No me **gustan** las matemáticas   b. Me **gusta** mucho el francés   c. A mi amigo le **gustan** las ciencias
d. A Marina le **gusta** el arte   e. A mi amiga le **gusta** el español   f. ¿No te **gustan** los idiomas?
g. Me **gustan** mucho mis profesores   h. A mi hermano no le **gusta** la música

5. Guided writing

Samuel: Me llamo Samuel. Me gusta el francés porque es divertido, pero no me gustan las ciencias porque son aburridas.
Ale: Me llamo Ale. Me gusta la informática porque es útil, pero no me gustan las matemáticas porque el profesor no es bueno.
Andrés: Me llamo Andrés. Me gusta el inglés porque es interesante, pero no me gusta el arte porque no es divertido.
Carlos: Me llamo Carlos. Me gustan las ciencias porque son fascinantes, pero no me gusta la gimnasia porque es agotadora.
Nina: Me llamo Nina. Me gusta el español porque es divertido e interesante, pero no me gusta la historia porque el profesor es malo y no tengo amigos en clase.

6. Describe this person in the third person:

Se llama Manuel y tiene trece años. Es de México pero vive en España. Le gusta el francés, porque es divertido y útil para el futuro, y también le gustan las matemáticas, porque son apasionantes y el profesor es muy bueno y gracioso. No le gusta la geografía porque es aburrida y el profesor es malo.

TERM 1 – BRINGING IT ALL TOGETHER – 4

1. Find the Spanish equivalent in the text

a. Tengo doce años   b. Hoy estoy fenomenal   c. Tengo un hermano mayor   d. Vivimos
e. Me gusta mi casa   f. Hay muchas tiendas cerca   g. En mi tiempo libre   h. Mi mejor amiga
i. En las afueras de   j. Voy   k. Un colegio bastante grande   l. Me gusta mi colegio
m. Los profesores son muy buenos   n. Trabajadores   o. Es un colegio bilingüe   p. Me encanta el inglés

2. Arrange the information below in the same order as it occurs in the text

His name is Miguel – 1
He likes his school – 8
Antonia lives in Bogota – 6
Miguel is feeling great today – 2
He likes his house – 4
Miguel loves English – 9
There are many restaurants near Antonia's house – 7
Miguel is on holidays – 3
Antonia's birthday is on 30th April – 5

3. Faulty translation: correct the 10 mistakes found in the translation below of paragraphs 1, 2 and 3 of Lionel's text

1. My name is Lionel and I am **14** years old. I am from Argentina and live in Buenos Aires, the capital. Today I am **so-so**. I am a bit **stressed** because I have a lot of homework.

2. I have an **younger** brother whose name is Geraldo. Geraldo is thirteen and usually is very **kind**. Today Geraldo is very **happy** because it is his birthday.

3. I live with my family in a quite **big** and old house **on the outskirts** of Buenos Aires. I like my house even those it is a bit **small**. There are many restaurants nearby. In my free time I **always** play the **flute**.

4. Complete the translation of paragraph 4

My **best** friend is called Antonio and is **15** years old, nearly the **same** as me. His birthday is on **13th** February. He lives in a a huge **flat** in the centre of Buenos Aires. He **likes** his flat because it is very **big** and **beautiful** and there is a sports centre **nearby**.

5. Complete the sentences below based on paragraphs 5 to 7

a. Lionel' school is located **near the city centre**
b. He likes his school because the teachers are (1) **intelligent** and (2) **patient**
c. His favourite subject is **Spanish** because it is (1) **interesting** and (2) **useful for the future**
d. His Spanish teacher is very (1) **intelligent** and (2) **funny**
e. She always **helps** him and never **shouts** at him
f. He also enjoys music because the lessons are **good** and he has **his best friend**
g. He hates maths because they are **hard** and **boring**. Also, the teacher is very **impatient**

TRANSCRIPTS: Unit 5 - Things I like/dislike: free time

1. Select the correct answer

a. Me gusta jugar al **baloncesto**
b. Me gusta hacer **deporte**
c. Me gusta jugar **a las cartas**
d. Me gusta hacer **senderismo**
e. Me gusta ir **al gimnasio**
f. Me gusta ir **de pesca**
g. Me gusta porque es **divertido**
h. No me gusta porque es **aburrido**

2. Break the flow (draw a line between each word)

a. En mi tiempo libre me gusta jugar
b. Me gusta jugar al baloncesto
c. No me gusta hacer equitación
d. Me gusta ir a la playa con mi amigo
e. Me gusta porque es interesante
f. No me gusta porque es agotador
g. Me gusta ir de paseo en bici

3. Listening for detail: what activities does Paloma do each day? Tick the correct ones

Hola, soy Paloma. Los lunes me gusta hacer ciclismo y footing. Lo hago en el parque. Los martes me gusta jugar al fútbol y también me gusta ir de paseo. Los miércoles me gusta hacer natación en la piscina y hacer deporte después del colegio. Los jueves me gusta ir de pesca y jugar a los videojuegos. Los viernes me gusta jugar al ajedrez con mi hermano y luego me gusta ir al centro comercial con mis amigas.

4. Complete with the missing words

a. Me gusta jugar al **tenis**
b. No me gusta ir al **parque**
c. No me gusta hacer **deporte**
d. Me gusta mucho ir de **paseo**
e. No me gusta hacer **footing**
f. Me gusta jugar al **ajedrez**
g. Me gusta porque es **divertido**
h. Me gusta ir al **gimnasio**

5. Listen and fill in the grid

e.g. No me gusta hacer footing porque no es divertido
a. Me encanta hacer equitación porque es emocionante
b. Odio jugar al fútbol porque es agotador
c. Me gusta hacer los deberes porque es interesante
d. No me gusta hacer natación porque es aburrido
e. Me gusta jugar a los videojuegos porque es divertido

6. Listen and correct the mistakes

a. Me gusta ir **de** paseo
b. Me gusta **hacer** natación
c. Me gusta porque **es** divertido
d. Me gusta mucho ir **al** parque
e. No me **gusta** hacer deporte
f. Me gusta bastante ir **de** marcha
g. Me gusta porque **es** emocionante
h. No me gusta **hacer** ciclismo

7. Spot the differences between the sentences you hear and those written down

a. No me gusta jugar **al tenis**
b. Me gusta mucho ir de **paseo**
c. Me gusta jugar al **baloncesto**
d. Me gusta ir a la piscina (IDENTICAL)
e. No me gusta hacer **footing**
f. Me gusta mucho porque es **emocionante**
g. No me gusta hacer **natación**
h. Me gusta mucho **ir de compras** (IDENTICAL)
i. No me gusta **hacer los deberes**

8. Narrow listening: gapped translation

Hola, **me llamo** Ana y soy de Madrid. Tengo **once** años. En mi familia hay **cinco** personas: mi madre, mi padre, mi hermano **mayor**, Roberto y mi hermano **menor**, Paco. Mi cumpleanos es el **veinte** de julio. No me gusta **mucho** estudiar. En el **colegio** estudio muchas asignaturas, pero solo me gustan el **arte** y la educación fisica. Odio hacer **los deberes**! En mi tiempo libre me gusta hacer **deporte**. Me gusta mucho jugar al **baloncesto**, ir en **bici** y hacer **footing**. Me encanta jugar al baloncesto porque es **emocionante**. No me gusta hacer **senderismo** porque es aburrido y **agotador**.

9. Listening slalom: follow the speaker from top to bottom and number the boxes accordingly

a. En mi tiempo libre me gusta ir de pesca y hacer natación
b. Cuando tengo tiempo me gusta jugar al ajedrez porque es muy interesante
c. No me gusta ir en bici porque es aburrido y agotador
d. Me gusta mucho jugar a los videojuegos con mi padre

ANSWERS: Unit 5 - Things I like/dislike: free time

Unit 5. Things I like/dislike: free time: LISTENING

1. Select the correct answer

a. Me gusta jugar al **baloncesto**   b. Me gusta hacer **deporte**   c. Me gusta jugar **a las cartas**
d. Me gusta hacer **senderismo**   e. Me gusta ir **al gimnasio**   f. Me gusta ir **de pesca**
g. Me gusta porque es **divertido**   h. No me gusta porque es **aburrido**

2. Break the flow: draw a line between each word

a. En mi tiempo libre me gusta jugar   b. Me gusta jugar al baloncesto   c. No me gusta hacer equitación
d. Me gusta ir a la playa con mi amigo   e. Me gusta porque es interesante   f. No me gusta porque es agotador
g. Me gusta ir de paseo en bici

3. Listening for detail: what activities does Paloma do each day? Tick the correct ones

Lunes: cycling, jogging   Martes: go for a walk, football   Miércoles: swimming, sport
Jueves: videogames, Fishing   Viernes: chess, shopping mall

4. Complete with the missing words

a. Me gusta jugar al **tenis**   b. No me gusta ir al **parque**   c. No me gusta hacer **deporte**
d. Me gusta mucho ir de **paseo**   e. No me gusta hacer **footing**   f. Me gusta jugar al **ajedrez**
g. Me gusta porque es **divertido**   h. Me gusta ir al **gimnasio**

5. Listen and fill in the grid

	Opinion	Activity	Reason
a.	**Loves**	Doing horseriding	Exciting
b.	**Hates**	Playing football	Tiring
c.	**Likes**	Doing homework	Interesting
d.	**Dislikes**	Doing swimming	Boring
e.	**Likes**	Playing videogames	Fun

6. Listen and correct the mistakes

a. Me gusta ir **de** paseo   b. Me gusta **hacer** natación   c. Me gusta porque **es** divertido
d. Me gusta mucho ir **al** parque   e. No me **gusta** hacer deporte   f. Me gusta bastante ir **de** marcha
g. Me gusta porque **es** emocionante   h. No me gusta **hacer** ciclismo

7. Spot the differences

a. No me gusta jugar **al tenis**   b. Me gusta mucho ir de **paseo**
c. Me gusta jugar al **baloncesto**   d. Me gusta ir a la piscina (IDENTICAL)
e. No me gusta hacer **footing**   f. Me gusta mucho porque es **emocionante**
g. No me gusta hacer **natación**   h. Me gusta mucho **ir de compras** (IDENTICAL)
i. No me gusta **hacer los deberes**

8. Narrow listening: gapped translation

Hola, **me llamo** Ana y soy de Madrid. Tengo **once** años. En my familia hay **cinco** personas: mi madre, mi padre, mi hermano **mayor**, Roberto y mi hermano **menor**, Paco. Mi cumpleaños es el **veinte** de julio. No me gusta **mucho** estudiar. En el **colegio** estudio muchas asignaturas, pero solo me gustan el **arte** y la educación física. ¡Odio hacer **los deberes**! En mi tiempo libre me gusta hacer **deporte**. Me gusta mucho jugar al **baloncesto**, ir en **bici** y hacer **footing**. Me encanta jugar al baloncesto porque es **emocionante**. No me gusta hacer **senderismo** porque es aburrido y **agotador.**

9. Listening slalom: follow the speaker from top to bottom and number the boxes accordingly

a. En mi tiempo libre me gusta ir de pesca y hacer natación
b. Cuando tengo tiempo me gusta jugar al ajedrez porque es muy interesante
c. No me gusta ir en bici porque es aburrido y agotador
d. Me gusta mucho jugar a los videojuegos con mi padre

Unit 5. Things I like/dislike: free time: VOCABULARY BUILDING

1. Match

Ir de pesca – To go fishing   **Hacer natación** – To go swimming   **Jugar al ajedrez** – To play chess
Ir de paseo – To go for a walk   **Jugar al baloncesto** – To play basketball   **Hacer deporte** – To do sport
Ir al polideportivo – To go to the sports centre   **Hacer footing** – To go jogging   **Ir en bici** – To go cycling
Hacer senderismo – To go hiking   **Ir a casa de mi amigo** – To go to my friend's

2. Faulty translation

a. Correct   b. Hacer deporte: *to do sport*   c. Ir al polideportivo: *to go to the sports centre*
d. Hacer footing: *to go jogging*   e. Ir en bici: *to go cycling*   f. Hacer senderismo: *to go hiking*
g. Ir de pesca: *to go fishing*   h. Jugar al ajedrez: *to play chess*   i. Correct   j. Correct
k. Hacer natacion: *to go swimming*

3. Sentence puzzle: rewrite the jumbled up Spanish

a. En mi tiempo libre me encanta ir en bici   *In my free time I love to go cycling*
b. Me encanta porque es muy divertido   *I love it because it is a lot of fun*
c. Me gusta mucho hacer footing con mis amigos   *I like a lot to go jogging with my friends*
d. Me gusta porque es muy relajante   *I like it because it is very relaxing*
e. No me gusta jugar al ajedrez   *I don't like to play chess*
f. No me gusta porque es aburrido   *I don't like it because it is boring*

4 Translate into English

a. Walk   b. Horse riding   c. Chess   d. Jogging   e. Bike   f. To go   g. I like   h. I love   i. To play
j. Swimming pool   k. Friends   l. Home   m. Relaxing   n. Exhausting

5. Tick all the adjectives

a. Relajante √   b. Casa   c. Agotador √   d. Equitación   e. Emocionante √   f. Paseo   g. Divertido √
h. Fenomenal √

6. Complete with the correct option

a. Me gusta ir de **paseo** con mis amigas   b. No me **gusta** jugar al fútbol   c. Me encanta **hacer** footing
d. Me gusta mucho hacer **natación**   e. Me encanta porque es **divertido**   f. **Me** gusta jugar al ajedrez
g. Me gusta **porque** es divertido   h. Me gusta jugar **al** baloncesto

7. Complete the table

English	Español
Friends	*Amigos*
Chess	*Ajedrez*
Basketball	*Baloncesto*
I love	*Me encanta*
Because	*Porque*
Walk	*Paseo*
Fishing	*Pesca*
To do	*Hacer*
To play	*Jugar*

8. Gapped translation

a. En mi tiempo libre me gusta hacer senderismo: *In my free time I like to go **hiking***
b. Me encanta porque es muy relajante: *I love it because it is **very relaxing***
c. Me gusta mucho hacer footing con mis amigos: *I like **a lot** to go **jogging** with my friends*
d. Me encanta porque es muy relajante: *I **love** it because it is very **relaxing***
e. No me gusta jugar al ajedrez. Es aburrido: *I don't like to play **chess**. It is **boring***
f. No me gusta porque es agotador: *I **don't like** it because it is **exhausting***
g. Me encanta ir de pesca porque es divertido: *I love to go **fishing** because it is **fun***

9. Find the Spanish for the words/phrases below

		b				p	o	r	q	u	e	
	p	a	s	e	o							
		j	l									
		e		o								
	r	d	s	e	n	d	e	r	i	s	m	o
	o	r			c							
	d	e				e						
	a	z					s					
	t		h	a	c	e	r		t			
	o									o		
	g		a	b	u	r	r	i	d	o		
	a	p	a	s	i	o	n	a	n	t	e	

Unit 5. Things I like/dislike: free time: READING

1. Find the Spanish for the following in Isabel's text

a. En mi tiempo libre   b. Ir de tiendas   c. También   d. Jugar al ajedrez   e. Mayor   f. Ir a la piscina
g. Relajante   h. En tu tiempo libre   i. No me gusta nada   j. Hacer deporte   k. Agotador

2. Complete the statements below based on Carlos' text

a. In my free time I like to do **sport**   b. I like to play **basketball** with my friends
c. I like to go to the **swimming pool and the gym** with my brother and to go **cycling**
d. At the weekend I enjoy to go **hiking** with my father because it is **exciting**
e. I don't like at all to **play football** because it is **boring**

3. Tick or cross?

a. Free √
b. Video games √
c. ~~Female friends~~
d. ~~Bike~~
e. ~~Shopping centre~~
f. Fun √
g. Weekend √
h. Computer √

i. Swimming √
j. ~~Jogging~~
k. I don't like √
l. ~~Because~~
m. Fishing √
n. Time √
o. ~~Saturday~~
p. ~~Walk~~

4. Find someone who…

a. Estefanía   b. Carlos   c. Isabel   d. Isabel   e. Carlos   f. Estefanía   g. Carlos   h. Isabel   i. Estefanía

Unit 5. Things I like/dislike: free time: WRITING

1. Transl-Anagrams: unjumble the words and translate them into English

a. Es divertido – It's fun   b. Me gusta mucho – I like a lot   c. Es aburrido – It's boring
d. Jugar al ajedrez – To play chess   e. Hacer senderismo – To go hiking
f. Jugar a videojuegos – To play videogames   g. Hacer natación – To go swimming

2. Broken words

a. Pas**eo**   b. Pes**ca**   c. Me enc**anta**   d. I**r** a la **p**laya   e. Sender**ismo**   f. Equi**tación**   g. Dep**orte**   h. Balonc**esto**

3. Complete the sentences with HACER, IR or JUGAR as appropriate

a. Me gusta **jugar** al tenis
b. Me gusta **hacer** senderismo
c. Me gusta **ir** de paseo
d. Me gusta **ir** en bici
e. Me gusta **hacer** natación y equitación
f. Me encanta **jugar** al fútbol
g. Me gusta mucho **hacer** footing
h. Me gusta **jugar** al baloncesto
i. Me gusta **ir** de pesca
j. Me encanta **jugar** a videojuegos

4. Translate into Spanish

a. Videojuegos   b. Equitación   c. Natación   d. Pesca   e. Senderismo   f. Agotador

5. Translate into Spanish

a. Me gusta hacer senderismo   b. No me gusta hacer natación   c. Me encanta jugar a videojuegos
d. Es agotador   e. Me gusta ir de pesca   f. Es emocionante

6. Translate into Spanish

a. Me encanta jugar al baloncesto con mis amigos. Me encanta porque es divertido.
b. No me gusta hacer senderismo con mi familia. No me gusta porque es aburrido.
c. Me gusta ir a la piscina con mis amigos. ¡Es fenomenal!
d. No me gusta ir en bici con mi padre y hermano. Es agotador.
e. Me encanta ir de paseo con mi mejor amiga. Es muy relajante.
f. Me gusta mucho ir de compras con mis amigos. ¡Es emocionante!
g. No me gusta ir de pesca con mi familia. Es muy aburrido.

TERM 1 – BRINGING IT ALL TOGETHER – 5

1. Complete the sentences, based on Marta's text

a. Marta is **10** years old   b. Today she is feeling **great**   c. Carolina is her **older sister**
d. Carolina is a bit **so-so** today   e. Near her flat there are many **parks**   f. Her dog is very **affectionate**
g. Andrés is her **best friend**   h. Marta attends a **small** school in the centre of Santiago
i. She likes her school because her teachers are **very good** and **kind**   j. She likes PE but it is a bit **exhausting**
k. Her literature teacher is **fun**   l. In her free time she enjoys going shopping and **walking** with her friends
m. She also plays videogames with her **older** sister and goes to the **swimming pool** with her **best** friend

2. Find and correct the 8 mistakes in the below translation of the second last paragraph

I go to *Colegio Manuel Bulnes De Santiago*, a **small** school in the centre of the city of Santiago. I like my school because the teachers are very **good** and kind. They aren't **strict**. I love **PE**, but it is a bit **exhausting**. My favourite subject is literature because it is very **interesting** and helps me develop my imagination. Also, the teacher is **fun** and always **helps** me.

3. Find the Spanish equivalent in the last paragraph

a. Tiempo libre   e. Relajante
b. Tiendas   f. Ajedrez
c. Hermana mayor   g. Aburrido
d. Mejor amiga   h. Emocionante

4. Answer the following questions on Santiago's text (parapgraphs 1 to 4)

a. 16 years old
b. In the north of Spain
c. Because he is tired and stressed
d. His horse is sick
e. Because it's her best friend's birthday

f. It's quite big and there are many beaches nearby
g. Big and strong
h. In the mountain
i. It is calm and there is a lake

5. Complete the following translation of paragraph 5

I attend Colegio Publico Froebel, a **multilingual** school in the **centre** of Pontevedra, near the **river**. In my school we learn in **Spanish**, in Gallego, the **language** of Galicia and in **English** too. I **love** languages because they are very **useful**.

6. Find the Spanish equivalent in paragraphs 6

a. Me gusta mi colegio   b. Simpáticos   c. A veces   d. Asignatura   e. Me ayuda a entender   f. Mejor
g. El mundo natural

7. Translate into English the following phrases from paragraph 7

a. In my free time   b. With my friends   c. I like to play   d. It is very fun   e. To read books f. She likes to play guitar

TRANSCRIPT:
TERM 1 - BRINGING IT ALL TOGETHER – QUESTION SKILLS

1. Fill in the missing words

a. ¿Cómo te **llamas**?   b. ¿**Cómo estás** hoy?   c. ¿**Cuántos** años tienes?   d. ¿**Cuándo** es tu cumpleaños?
e. ¿**Tienes** hermanos o hermanas   f. ¿**Cómo** se **llama** tu hermano?   g. ¿**Cuántos** años tiene?
h. ¿**Cuándo** es su cumpleaños?   i. ¿**De dónde** eres?   j. ¿**Dónde** vives?   k. ¿**Qué** asignaturas estudias?
l. ¿**Cuál** te **gusta**?   m. ¿**Por qué**?   n. ¿**Qué** te **gusta** hacer en tu tiempo libre?

2. Listen and choose the option that you hear

a. Me llamo **Paloma**   b. Hoy estoy **genial**   c. Tengo **dieciséis** años   d. Mi cumpleaños es el **treinta** de septiembre
e. Sí, tengo **un hermano** menor   f. Mi **hermano** se llama José   g. Tiene **nueve** años
h. Su cumpleaños es el veinticinco de **febrero**   i. **Soy** de España   j. Vivo en Cádiz, en el **sur** de España
k. Estudio **inglés**   l. No me gustan las **ciencias**   m. En mi tiempo libre me gusta hacer **deporte**

3. Listen and write in the missing information

a. ¿**Cómo** te llamas?   *Me **llamo** Paloma*
b. ¿**Cómo** estás hoy?   *Hoy **estoy** genial*
c. ¿**Cuántos** años tienes?   *Tengo **dieciséis** años*
d. ¿**Cuándo** es tu cumpleaños?   *Mi cumpleaños es el **treinta** de **septiembre***
e. ¿**Tienes** hermanos o hermanas? *Sí, tengo **un hermano** menor*
f. ¿**Cómo** se llama tu hermano?   *Mi hermano se **llama** José*
g. ¿**Cuántos** años tiene?   *Tiene **nueve** años*
h. ¿**Cuándo** es su cumpleaños?   *Su **cumpleaños** es el veinticinco de **febrero***
i. ¿**De dónde** eres?   *Soy de **España***
j. ¿**Dónde** vives?   ***Vivo** en Cádiz, en el **sur** de España*
k. ¿**Qué** asignaturas **estudias**?   ***Estudio** ciencias, **matemáticas**, geografía, y educación física*
l. ¿ **Cuál** no te gusta? ¿Por qué?   *No me **gustan** las ciencias **porque** son demasiado **difíciles***
m. ¿**Te gusta** el español? ¿Por qué?   *Me encanta el **español** porque es **fácil** y muy **útil** para el futuro*
n. ¿**Qué** te gusta hacer en tu tiempo libre?   *En mi **tiempo** libre me gusta **hacer** deporte y charlar con mis amigos*

ANSWERS:

TERM 1 – BRINGING IT ALL TOGETHER – QUESTION SKILLS

1. Fill in the missing words

a. ¿Cómo te **llamas**?   b. ¿**Cómo estás** hoy?   c. ¿**Cuántos** años tienes?   d. ¿**Tienes** hermanos o hermanas?

e. ¿**Cómo** se **llama** tu hermano?   f. ¿**Cuándo** es su cumpleaños?   g. ¿**Cuántos** años t**iene**?

h. ¿**De dónde** eres?   i. ¿**Dónde** vives?   j. ¿**Qué** asignaturas estudias?   k. ¿**Cuál** te **gusta**?

l. ¿**Por qué**?   m. ¿**Qué** te g**usta** hacer en tu tiempo libre?

2. Listen and choose the option that you hear

a. Me llamo **Paloma**   b. Hoy estoy **genial**   c. Tengo **dieciséis** años

d. Mi cumpleaños es el **treinta** de septiembre   e. Sí, tengo **un hermano** menor   f. Mi **hermano** se llama José

g. Tiene **nueve** años   h. Su cumpleaños es el veinticinco de **febrero**   i. **Soy** de España

j. Vivo en Cádiz, en el **sur** de España   k. Estudio **ciencias**   l. No me gustan las **ciencias**

m. En mi tiempo libre me gusta hacer **deporte**

3. Listen and write in the missing information

a. ¿**Cómo** te llamas?   Me **llamo** Paloma

b. ¿**Cómo** estás?   Hoy **estoy** genial

c. ¿**Cuántos** años tienes?   Tengo **dieciséis** años.

d. ¿**Cuándo** es tu cumpleaños?   Mi cumpleaños es el **treinta** de **septiembre**

e. ¿**Tienes** hermanos o hermanas?   Sí, tengo **un hermano** menor.

f. ¿**Cómo** se llama tu hermano?   Mi **hermano** se **llama** José

g. ¿**Cuántos** años tiene?   Tiene **nueve** años.

h. ¿**Cuándo** es su cumpleaños?   Su **cumpleaños** es el veinticinco de **febrero**

i. ¿**De dónde** eres?   Soy de **España**.

j. ¿**Dónde** vives?   **Vivo** en Cádiz, en el **sur** de España

k. ¿**Qué** asignaturas **estudias?**   **Estudio** ciencias, **matemáticas**, geografía, y educación **física**

l. ¿**Cuál** no te gusta?   No me **gustan** las ciencias **porque** son demasiado **difíciles**

m. ¿**Te gusta** el español?   Me encanta el **español** porque es **fácil** y muy **útil** para el **futuro**

n. ¿**Qué** te gusta hacer en tu tiempo libre? En mi **tiempo** libre me gusta **hacer** deporte y **charlar** con mis **amigos**

4. Fill in the grid with your personal information

Free answers.

5. Survey two of your classmates using the same questions as above

Free answers.

TERM 2

TRANSCRIPTS: Unit 6 - Talking about my family members

1. Fill in the blanks

a. En mi **familia** hay **cinco** personas.
c. En **mi** familia **hay** seis **personas**.
e. Me **llevo** bien con **mi** hermano **mayor**.
g. Me llevo **muy** bien **con** mi **padre**.

b. Mi abuelo tiene **setenta** años.
d. Mi **padre** se llama **Pablo**.
f. Me **llevo mal** con mi **madre**.

2. Break the flow

a. Hay cuatro personas en mi familia.
c. Mi abuelo tiene ochenta años.
e. Mi hermano mayor se llama Juan.
g. Mi padre tiene cuarenta y dos años.

b. Me llevo bien con mis padres.
d. Mi tío tiene cuarenta años.
f. En mi familia hay cinco personas.

3. Multiple choice quiz: select the correct age

a. Me llamo **Jaime** y tengo cincuenta años.
c. Me llamo **Juan** y tengo sesenta años.
e. Me llamo **Marina** y tengo treinta y seis años.
g. Me llamo **Enrique** y tengo setenta y tres años.
i. Me llamo **Manuela** y tengo cuarenta y siete años.

b. Me llamo **Silvia** y tengo setenta años.
d. Me llamo **Pedro** y tengo cien años.
f. Me llamo **Consuelo** y tengo ochenta y cinco años.
h. Me llamo **Pablo** y tengo setenta y un años.

4. Spot the intruders: identify the word(s) in each sentence the speaker is NOT saying

a. En mi familia hay cinco ~~mil~~ personas.
c. Me llevo ~~muy~~ bien con mis padres.
e. Mis abuelos ~~maternos~~ tienen ochenta años.

b. Mi tío Pedro tiene cuarenta ~~y un~~ años.
d. Mi primo Ian tiene ~~como~~ cincuenta años.
f. ~~Yo~~ me llevo fatal con mi primo José.

5. Faulty translation: spot the translation errors and correct them

a. Me llamo Juan Francisco. Tengo **15** años.
b. Tengo el pelo rubio y **corto**.
c. Tengo los ojos **azules**.
d. En mi familia hay **5** personas: mi padre, mi madre, mi **hermana**, mi hermano y yo.
e. Mi padre tiene **45** años, mi madre tiene **43**,
f. mi hermana tiene **19** años y mi hermano tiene **17** años.
g. Mis tíos se llaman Roberta y Rafa.
h. Mi tía tiene **52** años y mi tío tiene **60** años.
i. Mis abuelos maternos tienen **90** años.
j. Mi abuelo paterno tiene **66** años.

6. Spot and write in the missing words

a. Hola **me** llamo Dylan.
b. Soy **de** España.
c. Tengo **un** hermano.
d. Mi cumpleaños **es** el veinte de marzo.
e. En mi familia **hay** cinco personas.
f. Está mi padre, mi madre, mis **dos** hermanos y yo.
g. Yo tengo treinta **y** siete años. Mi madre tiene sesenta y dos años y mi padre sesenta **y** un años.
h. Mi hermano **mayor** tiene cuarenta años y mi hermano **menor** tiene treinta y cinco años.
i. Me llevo **muy** bien **con** mis padres.

7. Narrow listening: gapped translation

Me llamo Paco. Soy de **Bilbao** Tengo **13** años. Mi cumpleaños es el **30 de enero**. Tengo el pelo **rubio**, largo y **liso**. Tengo los ojos **azules**. En mi familia hay **5** personas: mi padrastro, mi **madre** y mis dos hermanas. Mi hermana mayor tiene **16** años. Mi hermana menor tiene **11** años. Me **llevo bien** con mis padres. Mi **abuelo** materno vive con nosotros. Tiene **85** años. Me llevo bien con él.

8. Listening slalom: follow the speaker from top to bottom and number the boxes accordingly

(a) Hola, me llamo **Elena** y tengo 16 años. Mi cumpleaños es el 31 de diciembre. Mi madre tiene 48 años y mi padre tiene 52. Mi abuelo tiene 76 años y mi abuela tiene 68.
(b) Hola, me llamo **Felipe** y tengo 11 años. Mi cumpleaños es el 25 de octubre. Mi madre tiene 39 años y mi padre tiene 43. Mi abuelo tiene 73 años y mi abuela tiene 81.
(c) Hola, me llamo **Maite** y tengo 30 años. Mi cumpleaños es el 20 de junio. Mi madre tiene 62 años y mi padre tiene 64. Mi abuelo tiene 75 años y mi abuela tiene 72.
(d) Hola, me llamo **Javier** y tengo 17 años. Mi cumpleaños es el 15 de marzo. Mi madre tiene 44 años y mi padre tiene 49. Mi abuelo tiene 90 años y mi abuela tiene 80.
(e) Hola, me llamo **Juan** y tengo 20 años. Mi cumpleaños es el 7 de enero. Mi madre tiene 50 años y mi padre tiene 53. Mi abuelo tiene 81 años y mi abuela tiene 79.

9. Narrow listening: listen and fill in the missing details on the grid

(1) Me llamo **Andrea** y tengo 12 años. Mi cumpleaños es el 20 de junio. Hay 5 personas en mi familia. Mi hermano menor tiene 5 años y mi hermana mayor tiene 16 años. Mi madre tiene 39 años y mi padre tiene 41.
(2) Me llamo **Felipe** y tengo 14 años. Mi cumpleaños es el 14 de diciembre. Hay 4 personas en mi familia. Mi hermana menor tiene 8 años y mi hermano mayor tiene 18 años. Mi madre tiene 42 años y mi padre tiene 44.
(3) Me llamo **Sofía** y tengo 11 años. Mi cumpleaños es el 15 de septiembre. Hay 6 personas en mi familia. Mi hermano mayor tiene 21 años y mi hermana menor tiene 9 años. Mi madre tiene 43 años y mi padre tiene 46.
(4) Me llamo **Eugenio** y tengo 13 años. Mi cumpleaños es el 9 de agosto. Hay 5 personas en mi familia. Mi hermano menor tiene 9 años y mi hermano mayor tiene 15 años. Mi madre tiene 39 años y mi padre tiene 40.
(5) Me llamo **Myriam** y tengo 28 años. Mi cumpleaños es el 31 de julio. Hay 6 personas en mi familia. Mis dos hermanos menores tienen 10 y 11 años y mi hermana mayor tiene 31 años. Mi madre tiene 56 años y mi padre tiene 55.

ANSWERS: Unit 6 - Talking about my family members

Unit 6. Talking about my family members: LISTENING

1. Fill in the blanks

a. En mi **familia** hay **cinco** personas.
b. Mi abuelo tiene **setenta** años.
c. En **mi** familia **hay** seis **personas**.
d. Mi **padre** se llama **Pablo**.
e. Me **llevo** bien con **mi** hermano **mayor**.
f. Me **llevo mal** con mi **madre**.
g. Me llevo **muy** bien **con** mi **padre**.

2. Break the flow

a. Hay cuatro personas en mi familia.
b. Me llevo bien con mis padres.
c. Mi abuelo tiene ochenta años.
d. Mi tío tiene cuarenta años.
e. Mi hermano mayor se llama Juan.
f. En mi familia hay cinco personas.
g. Mi padre tiene cuarenta y dos años.

3. Multiple choice quiz: select the correct age

a. 50   b. 70   c. 60   d. 100   e. 36   f. 85   g. 73   h. 71   i. 47

4. Spot the intruders

a. En mi familia hay cinco ~~mil~~ personas.
b. Mi tío Pedro tiene cuarenta ~~y un~~ años.
c. Me llevo ~~muy~~ bien con mis padres.
d. Mi primo Ian tiene ~~como~~ cincuenta años.
e. Mis abuelos ~~maternos~~ tienen ochenta años.
f. ~~Yo~~ me llevo fatal con mi primo José.

5. Faulty translation: spot the translation errors and correct them

a. My name is Juan Francisco. I am **15** years old.
b. I have blond and **short** hair.
c. I have **blue** eyes.
d. In my family there are **5** people: my father, my mother, my **sister**, my brother and I.
e. My father is **45**, my mother is **43**.
f. My sister is **19** and my brother is **17**.
g. My uncle and aunt are called Roberta and Rafa.
h. My aunt is **52** years old and my uncle is **60**.
i. My maternal grandparents are **90** years old.
j. My paternal grandfather is **66**.

6. Spot and write in the missing words

a. Hola **me** llamo Dylan.   b. Soy **de** España.   c. Tengo **un** hermano.   d. Mi cumpleaños **es** el veinte de marzo.
e. En mi familia **hay** cinco personas.   f. Está mi padre, mi madre, mis **dos** hermanos y yo.
g. Yo tengo treinta **y** siete años. Mi madre tiene sesenta y dos años y mi padre sesenta **y** un años.
h. Mi hermano **mayor** tiene cuarenta años y mi hermano **menor** tiene treinta y cinco años.
i. Me llevo **muy** bien **con** mis padres.

7. Narrow listening

My name is Paco. I am from **Bilbao**. I am **13** years old. My birthday is on **30**[th] **January**. I have **blond**, long and **straight** hair. I have **blue** eyes. In my family there are **5** people: my stepfather, my **mother** and my two sisters. My older sister is **16** years old. My younger sister is **11** years old. I **get on well** with my parents. My maternal **grandfather** lives with us. He is **85** years old. I get on well with him.

8. Listening slalom: follow the speaker from top to bottom and number the boxes accordingly

a. Elena	b. Felipe	c. Maite	d. Javier	e. Juan
Name: Elena (a)	Name: Felipe (b)	Name: Maite (c)	Name: Javier (d)	Name: Juan (e)
I am 17 (d)	I am 16 (a)	I am 20 (e)	I am 11 (b)	I am 30 (c)
Birthday: 25th Oct (b)	Birthday: 20th June (c)	Birthday: 31st Dec (a)	Birthday: 15th Mar (d)	Birthday: 7th Jan (e)
My mother is 50 (e)	My mother is 48 (a)	My mother is 44 (d)	My mother is 39 (b)	My mother is 62 (c)
My father is 49 (d)	My father is 43 (b)	My father is 53 (e)	My father is 64 (c)	My father is 52 (a)
My grandad is 81 (e)	My grandad is 75 (c)	My grandad is 76 (a)	My grandad is 73 (b)	My grandad is 90 (d)
My grandma is 68 (a)	My grandma is 80 (d)	My grandma is 81 (b)	My grandma is 72 (c)	My grandma is 79 (e)

9. Narrow listening: listen and fill in the missing details on the grid

Name	Age	Birthday	Family size	<u>Older</u> sibling's age	Mother's age	Father's age
Andrea	**12**	20 June	**5**	16	**39**	41
Felipe	14	**14 Dec**	4	**18**	**42**	44
Sofía	**11**	15 Sep	6	**21**	43	**46**
Eugenio	13	**9 Aug**	5	**15**	39	**40**
Myriam	28	**31 Jul**	6	31	**56**	55

Unit 6. Talking about my family + Counting to 100: VOCAB BUILDING

1. Complete with the missing word

a. En mi **familia** hay   b. Hay **cinco** personas   c. Mi **abuelo**, Jaime   d. Mi abuelo **tiene** ochenta años
e. Mi **madre** Angela   f. Ella **tiene** cincuenta años   g. Me **llevo** bien con mi hermano

2. Match

dieciséis – **16**   doce – **12**   veintiuno – **21**   diez – **10**   treinta y tres – **33**   trece – **13**   cuarenta y ocho – **48**
cincuenta y dos – **52**   cinco – **5**   quince – **15**

3. Translate into English

a. I get on badly with   b. My grandmother, Adela   c. My uncle   d. There are four people   e. In my family
f. I get on well with   g. My father   h. He/she is twenty years old

4. Add the missing letter

a. familia   b. tengo   c. personas   d. abuelo   e. hermano   f. mayor   g. madre   h. primo   i. me llevo   j. bien
k. quince.   l. diez

5. Broken words

a. Hay **s**eis **p**ersonas **e**n mi **f**amilia   b. Mi **h**ermana **t**iene doce años   c. En mi familia tengo...
d. Mi **p**rimo se llama   e. Mi **p**adre tiene **c**incuenta y cinco años   f. Me **l**levo **m**al **c**on mi **h**ermano **m**ayor
g. Me **l**levo **b**ien **c**on mi...

6. Complete with a suitable word

a. En mi **familia**   b. **Hay** tres personas   c. Mi hermana **se llama**   d. Tiene catorce **años**
e. Mi **hermana/madre**, Gina tiene treinta y cinco años   f. Me llevo **bien/mal** con mi padre
g. Hay cuatro **personas** en mi familia   h. Me **llevo** bien con mi abuela   i. No **me** llevo bien con mi tío
j. Mi primo tiene quince **años**   k. Me llevo bien **con** mi abuelo

Unit 6. Talking about my family + Counting to 100: VOCAB DRILLS

1. Match

En mi – in my   **familia** – family   **hay** – there are   **siete** – seven   **me llevo bien** – I get on well   **con** – with

2. Complete with the missing word

a. **Hay** cinco personas   b. Mi **padre**, Juan, tiene sesenta años   c. Me **llevo** bien con mi tío
d. Me llevo **mal** con mi …   e. Mi tía, Gina, **tiene** cuarenta años   f. Él tiene **dieciocho** años
g. **Ella** tiene veintiséis años   h. Mi **abuela**, Adela, tiene ochenta años

3. Translate into English

a. He is nine   b. She is forty   c. My father is 44   d. I get on badly with my grandfather
e. I get on well with my brother   f. My younger sister is five   g. There are 8 people in my family
h. In my family I have six people

4. Complete with the missing letters

a. Mi hermano m**a**yor   b. En mi fa**mi**lia h**ay** tres personas   c. Mi primo t**ie**ne diecioch**o** años
d. Me **l**levo muy m**al** con mi hermano   e. Mi t**í**o tiene cuarente **años**   f. **Me** llevo muy bi**en** con mi prima
g. Mi pri**ma** ti**e**ne q**ui**nce años   h. Me llevo regular con **ella**   i. ¿Cómo **eres** tú?

5. Translate into Spanish

a. en mi familia   b. hay   c. mi padre   d. tiene cuarenta años   e. me llevo bien   f. con

6. Spot and correct the errors

a. En mi familia hay tres personas   b. Mi abuela Adela   c. Mi hermano tiene nueve años
d. Me llevo mal con mi primo   e. Mi primo tiene ocho años   f. Mi hermano mayor, Darren

Unit 6. Talking about my family. Counting to 100: READING

1. Find the Spanish for the following in Jaime's text

a. Tengo doce años
b. Somos cinco personas
c. Mi hermana menor
d. Me llevo muy bien con
e. Porque es simpático
f. Mi abuelo
g. Es muy severo
h. A veces nos chilla
i. Mi abuelo tiene noventa y cinco años
j. También tengo un gato
k. Que se llama Señor Bigotes

2. Answer the following questions about Aurélie

a. Paris, France   b. 13   c. One   d. Yes, because she is very kind
e. Yes, because always helps her and is lovely   f. 88

3. Complete the table below

	Age	Country they are from	How many siblings	Age of grandparent
Jaime	12	Spain	2	95
Aurélie	13	France	1	88
Tomás	15	Cuba	2	72

4. Jaime, Aurélie or Tomás?

a. Tomás   b. Aurélie   c. Jaime   d. Aurélie   e. Tomás   f. Jaime

Unit 6. Talking about my family. Counting to 100: TRANSLATION

1. Match

Veinte – **20**   Treinta – **30**   Cuarenta – **40**   Cincuenta – **50**   Sesenta – **60**   Ochenta - **80**   Noventa – **90**   Cien – **100**
Setenta – **70**

2. Write out in Spanish

a. 35 – **treinta y cinco**   b. 63 – **sesenta y tres**   c. 89 – **ochenta y nueve**   d. 74 – **setenta y cuatro**
e. 98 – **noventa y ocho**   f. 100 – **cien**   g. 82 – **ochenta y dos**   h. 24 – **veinticuatro**   i. 17 – **diecisiete**

3. Write out with the missing number

a. Tengo **treinta** y un años   b. Mi padre tiene **cincuenta** y siete años   c. Mi madre tiene **cuarenta** y ocho años.
d. Mi abuelo tiene **cien** años   e. Mi tío tiene **sesenta** y dos años   f. Tienen **noventa** años
g. Mis primos tienen **cuarenta** y cuatro años   h. ¿Tiene **setenta** años?

4. Correct the translation errors

a. My father is forty – mi padre tiene **cuarenta** años   b. My mother is fifty-two – mi madre tiene cincuenta **y dos** años
c. We are forty-two – tenemos cuarenta **y** dos años   d. I am forty-one – tengo cuarenta **y** un años
e. They are thirty-four – tienen treinta y **cuatro** años

5. Translate into Spanish (please write out the numbers in letter)

a. En mi familia hay seis personas   b. Mi madre se llama Susana y tiene cuarenta y tres años
c. Mi padre se llama Pedro y tiene cuarenta y ocho años
d. Mi hermana mayor se llama Juanita y tiene treinta y un años
e. Mi hermana menor se llama Amparo y tiene dieciocho años   f. Me llamo Arantxa y tengo veintisiete años
g. Mi abuelo se llama Antonio y tiene ochenta y siete años

Unit 6. Talking about my family + Counting to 100: WRITING

1. Spot and correct the spelling mistakes

a. quarenta – **cuarenta**   b. treintaiuno – **treinta y uno**   c. ocenta y dos – **ochenta y dos**   d. veinte y uno – **veintiuno**
e. nuevanta – **noventa**   f. sien – **cien**   g. septenta – **setenta**   h. dieciseis – **dieciséis**

2. Complete with the missing letters

a. Mi m**a**dre tiene cuarenta años   b. Mi pad**r**e tiene cinc**u**enta y un años   c. Mis abuelos tienen ochenta años
d. Mi hermana meno**r** tiene veinte años   e. **M**i abuela **t**iene noventa **añ**os   f. Mi h**e**rman**o** ma**y**or **t**iene treint**a añ**os

3. Rearrange the sentence below in the correct word order

a. En mi familia hay cuatro personas   b. No me llevo bien con mi hermano
c. Mi padre se llama Miguel y tiene cincuenta y dos años
d. En mi familia hay tres personas: mi madre, mi padre y yo   e. Mi primo se llama Paco y tiene treinta y siete años
f. Mi abuelo se llama Fernando y tiene ochenta y siete años

4. Complete

a. in my family– e**n** m**i** f**amilia**   b. there are – h**ay**   c. who is called – **q**ue s**e** ll**ama**   d. my mother – m**i** m**adre**
e. my father – m**i** p**adre**   f. he is fifty – **t**iene **c**incuenta años   g. I am sixty – **t**engo s**esenta años**
h. he is forty – **t**iene **c**uarenta años

5. Write a relationship sentence for each person as shown in the example

Steve (Smith): Mi padre, que se llama Steve, tiene cincuenta y siete años. Me llevo bien con él.
Ana: Mi madre, que se llama Ana, tiene cuarenta y cinco años. Me llevo muy mal con ella.
Arantxa: Mi tía, que se llama Arantxa, tiene sesenta años. Me llevo bastante bien con ella.
Andrés: Mi tío, que se llama Andrés, tiene sesenta y siete años. No me llevo bien con él.
Miquel: Mi abuelo, que se llama Miquel, tiene setenta y cinco años. Me llevo muy bien con él.

TERM 2 – BRINGING IT ALL TOGETHER – 6

1. Find the Spanish equivalent in paragraph 1

a. I am from: Soy de
b. But: Pero
c. I live: Vivo
d. Today: Hoy
e. I feel: Me siento
f. Happy: Contenta
g. Afterwards: Después
h. I am going: Voy
i. Friendly: Simpática
j. Gives me: Me da

2. Complete the statements below about Laura's family based on paragraphs 2 and 3

a. In Laura's family there are **5** people
b. Her younger sister is called **Julia**
c. Lily is their **dog** and she is **white**
d. Her grandparents are very patient and **kind**
e. Julio loves to **sing** and **play the guitar**
f. He is **13** years old and is very **funny**
g. She thinks he is called Julio because **he was born on July**

3. Answer the following questions (in English) about paragraph 4

a. On the outskirts   b. It is not very modern and there aren't shops and restaurants nearby   c. Flowers
d. The garden   e. To skate   f. They both like to skate

4. Answer the following questions on paragraph 5 (in Spanish) as if you were Laura

a. Mi colegio es muy grande   b. Está en mi barrio   c. Porque los profesores son amables y divertidos
d. Porque es un poco impaciente
e. Las matemáticas, porque me gusta resolver problemas y tengo amigos en clase

5. Arrange the following information in the same order as it occurs in the text

Luna's birthday is on 3rd April	2
Her grandparents are very kind	6
Her name is Luna and she is 16	1
Her brother always helps her	8
There aren't many restaurants in her area	10
Luna lives in Germany	3
There is a park near her house	11
Her school is small	13
Luna gets on well with her mother	4
In her free time she goes skating	12
They live in a big house	9
They have a white dog	5
Her older brother loves painting	7

6. Identify the false statements about her school (last paragraph) and correct them

a. Luna's school is **small**   b. Luna **likes** her teachers   c. Luna has **many** friends in the school
d. Luna doesn't get on well with her **English** teacher   e. Her English teacher always **shouts** at her
f. Luna likes art – Correct   g. Luna is quite a creative person – Correct   h. She loves to **draw** animals

7. Circle and translate into English the 5 words on the list below which are found in Luna's text

a. **demasiado – to**o   **d. para – to**   g. delante
b. **cerca – near**   e. por   h. nunca
c. lejos   **f. mientras – while**   **i. siempre – always**

8. The following phrases have been copied incorrectly from Luna's text. Can you fix them?

a. En mi tiempo libr**e**   e. Con muchos **á**rboles
b. No m**e** gusta mi casa   f. Tengo muchos amigo**s**
c. Mi **mejor** amiga   g. Mi hermano ma**y**or
d. Mi **asignatura favorita**   h. Es muy simp**á**tica

TRANSCRIPTS: Unit 7 – Describing hair and eyes

1. Fill in the blanks

a. Soy **pelirrojo**.

c. Tengo **los** ojos **azules**.

e. **Mi** hermana **lleva** gafas.

g. Tengo los **ojos** marrones y **llevo** barba.

b. Mi hermano **tiene** el pelo **moreno**.

d. Antonio **tiene** el **pelo** rubio y los ojos **verdes**.

f. Tengo **el pelo** corto y en **punta**.

2. Break the flow

a. Tengo el pelo moreno y liso.

c. Tiene el pelo moreno y a media melena.

e. No tiene pelo.

g. Tiene los ojos marrones y lleva bigote.

b. Tiene los ojos azules y grandes.

d. Tiene el pelo castaño, largo y rizado.

f. Tiene los ojos negros y lleva gafas.

3. Arrange in the correct order

Me llamo Fran - Soy de Valladolid, en España - Tengo doce años - Mi cumpleaños es el treinta de marzo - Tengo el pelo moreno, liso y corto - Tengo un hermano - Él tiene quince años - Su cumpleaños es el catorce de marzo - Es rubio y tiene los ojos verdes

4. Spot the intruders: identify the word in each sentence the speaker is NOT saying

a. Tengo el pelo largo.

b. Tengo el pelo a media melena.

c. Mi padre tiene el pelo corto.

d. Mi madre tiene el pelo largo.

e. Mi hermano tiene el pelo rubio.

f. Mi hermana tiene el pelo en punta.

5. Listen, spot and correct the errors

a. **Me** llamo Silvia.

b. Tengo **diecisiete** años.

c. Soy de **Alemania**.

d. …pero vivo en **Irlanda**.

e. Tengo el pelo **moreno** y los ojos marrones.

f. Tengo el pelo largo y **rizado**.

g. Mi mejor amiga, Kat, tiene **quince** años.

h. Es guapa. Tiene el pelo rubio, muy largo y **ondulado**.

i. Tiene los ojos **azules** y lleva gafas.

6. Fill in the blanks

a. Tengo el pelo en **punta**.

c. Tengo los ojos **negros**.

e. Tengo los ojos **azules**.

g. No llevo **bigote**.

i. Mi padre **lleva** bigote.

b. Tengo el pelo **castaño**.

d. Tengo el pelo **largo**.

f. No llevo **gafas**.

h. Llevo **barba**.

j. Mi hermano tiene los ojos **grises**.

7. Narrow listening: gapped translation

Me llamo Verónica, tengo **15** años. Mi cumpleaños es el **12 de enero.** En mi familia hay **5** personas: mi padre, mi madre, mis dos **hermanas** y yo. Mi madre tiene el pelo **castaño**, **largo** y rizado. Tiene los ojos **azules.** Mi padre tiene el pelo gris, **corto** y liso. Tiene los ojos **marrones.** Mis dos hermanas tienen el pelo **rubio,** largo y liso. Las dos tienen los ojos **verdes.** Yo tengo el pelo castaño **muy corto.** Sin embargo, antes lo tenía **largo.**

8. Fill in the grid

a. Me llamo Mario. Tengo 12 años y mi cumpleaños es el 13 de agosto. Tengo un hermano y una hermana. Soy rubio, y tengo el pelo largo y rizado. Tengo los ojos marrones.

b. Me llamo Andrea. Tengo 15 años y mi cumpleaños es el 20 de junio. Tengo una hermana. Tengo el pelo moreno, largo y ondulado. Tengo los ojos verdes.

c. Me llamo Andrés. Tengo 16 años y mi cumpleaños es el 15 de enero. Tengo dos hermanos. Tengo el pelo castaño, corto y liso. Tengo los ojos azules.

d. Me llamo Eugenio. Tengo 10 años y mi cumpleaños es el 8 de marzo. Tengo tres hermanas. Tengo el pelo moreno, corto y en punta. Tengo los ojos marrones.

e. Me llamo Alfonso. Tengo 14 años y mi cumpleaños es el 19 de mayo. Soy hijo único. Soy pelirrojo y tengo el pelo corto y rizado. Tengo los ojos grises.

9. Translate the ten sentences you hear into English

a. Tengo el pelo castaño.

b. Mi hermana es rubia.

c. Mi padre tiene el pelo moreno.

d. Mi hermano es pelirrojo.

e. Mi hermana tiene el pelo moreno.

f. Tengo el pelo rizado.

g. Mi madre tiene el pelo liso.

h. Mi padre tiene el pelo largo.

i. Mi hermano tiene el pelo ondulado.

j. Mi hermana tiene el pelo a media melena.

ANSWERS: Unit 7 – Describing hair and eyes

Unit 7. Describing hair and eyes: LISTENING

1. Fill in the blanks

a. Soy p**elirrojo**.

b. Mi hermano **tiene** el pelo **moreno**.

c. Tengo **los** ojos **azules**.

d. Antonio **tiene** el **pelo** rubio y los ojos **verdes**.

e. **Mi** hermana **lleva** gafas.

f. Tengo **el pelo** corto y en **punta**.

g. Tengo los **ojos** marrones y **llevo** barba.

2. Break the flow

a. Tengo el pelo moreno y liso.

b. Tiene los ojos azules y grandes.

c. Tiene el pelo moreno y a media melena.

d. Tiene el pelo castaño, largo y rizado.

e. No tiene pelo.

f. Tiene los ojos negros y lleva gafas.

g. Tiene los ojos marrones y lleva bigote.

3. Arrange in the correct order

My name is Fran - I am from Valladolid, in Spain - I am twelve years old - My birthday is on 30th

March - I have dark brown, straight, short, hair - I have a brother - He is fifteen years old - his birthday is on 14th

March - he is blond and has green eyes

4. Spot the intruders: identify the word in each sentence the speaker is NOT saying

a. Tengo el pelo ~~muy~~ largo.

b. Tengo el pelo a ~~la~~ media melena.

c. Mi padre tiene el pelo ~~bastante~~ corto.

d. Mi madre ~~no~~ tiene el pelo largo.

e. Mi hermano ~~menor~~ tiene el pelo rubio.

f. Mi hermana tiene el pelo ~~moreno~~ en punta.

5. Listen, spot and correct the errors

a. **Me** llamo Silvia.

b. Tengo **diecisiete** años.

c. Soy de **Alemania**.

d. …pero vivo en **Irlanda**.

e. Tengo el pelo **moreno** y los ojos marrones.

f. Tengo el pelo largo y **rizado**.

g. Mi mejor amiga, Kat, tiene **quince** años.

j. Es guapa. Tiene el pelo rubio, muy largo y **ondulado**.

i. Tiene los ojos **azules** y lleva gafas.

6. Fill in the blanks

a. Tengo el pelo en **punta**.

b. Tengo el pelo **castaño**.

c. Tengo los ojos **negros**.

d. Tengo el pelo **largo**.

e. Tengo los ojos **azules**.

f. No llevo **gafas**.

g. No llevo **bigote**.

h. Llevo **barba**.

i. Mi padre **lleva** bigote.

j. Mi hermano tiene los ojos **grises**.

7. Narrow listening: gapped translation

My name is Verónica, I am **15** years old. My birthday is on the **12 January**. In my family there are **5** people: my father, my mother, my two **sisters** and me. My mother has **brown**, **long** and curly hair. She has **blue** eyes. My father has grey, **short** and straight hair. He has **brown** eyes. My two sisters have **blond**, long and straight hair. They both have **green** eyes. I have brown **very short** hair. However, before I used to have it **long**.

8. Fill in the grid

Name	Age	Birthday	Siblings	Hair (3 details)	Eyes
a. Mario	12	**13th August**	one brother, one sister	**blond, long, curly**	brown
b. Andrea	**15**	20th June	**one sister**	dark brown, long, wavy	**green**
c. Andrés	16	**15th Jan**	two brothers	**brown, short, straight**	blue
d. Eugenio	**10**	8th March	**three sisters**	dark brown, short, spiky	**brown**
e. Alfonso	**14**	19th May	**only child**	redhead, short, curly	**grey**

9. Translate the ten sentences you hear into English

a. I have brown hair.

b. My sister is blonde.

c. My father has dark brown hair.

d. My brother is a redhead.

e. My sister has dark brown hair.

f. I have curly hair.

g. My mother has straight hair.

h. My father has long hair.

i. My brother has wavy hair.

j. My sister has medium length hair.

Unit 7. Describing hair and eyes: VOCABULARY BUILDING

1. Complete with the missing word

a. Tengo el pelo **castaño**   b. Soy **rubia**   c. Llevo **barba**   d. Tengo los ojos **azules**

e. No llevo **gafas**   f. Tengo el pelo a med**ia** mel**ena.**   g. Tengo los ojos **negros**   h. Soy p**elirrojo**

2. Match

el pelo castaño – brown hair   **el pelo moreno** – dark brown hair   **el pelo rubio** – blond hair   **los ojos grises** – grey eyes

las gafas – glasses   **el bigote** – moustache   **los ojos azules** – blue eyes   **los ojos verdes** – green eyes

el pelo corto – short hair   **el pelo largo** – long hair   **pelirrojo** – red hair

3. Translate into English

a. curly hair   b. blue eyes   c. I wear glasses   d. blond hair   e. green eyes   f. Vero is a redhead   g. grey eyes

h. dark brown hair

4. Add the missing letter

a. largo   b. gafas   c. pelo   d. bigote   e. azul   f. verdes   g. rizado   h. liso   i. moreno   j. a media melena   k. ojos   l. llevo

5. Broken words

a. **Tengo** el **pelo rizado**   b. **Llevo gafas**   c. **Tengo el pelo corto**   d. No llevo **b**igote   e. **Ten**go **los ojos** marrones

f. **Llevo barba**   g. **Tengo ocho años**   h. **Me llamo María**   i. **Tengo nueve años**

6. Complete with a suitable word

a. Tengo diez **años**   b. **Llevo/tengo** barba   c. Me **llamo** Antonio Ruiz   d. Llevo **gafas/barba/bigote**

e. Tengo el **pelo** liso y corto   f. **No** llevo gafas   g. Tengo **los** ojos marrones   h. Tengo **el** pelo negro

i. No **llevo/lleva** bigote   j. **Soy** rubia   k. **Me** llamo Pedro Ximénez   l. Tengo **nueve/diez** años

Unit 7. Describing hair and eyes: READING

1. Find the Spanish

a. me llamo   b. en   c. llevo gafas   d. mi cumpleaños es   e. el diez de   f. tengo   g. liso   h. moreno/negro   i. los ojos

2. Answer the following questions about Inma's text

a. She is 15 years old   b. in Bolivia   c. red/ginger   d. wavy   e. long   f. blue   g. 15th December

3. Complete with the missing words

Me llamo Pedro. **Tengo** diez años y vivo **en** Caracas, la **capital** de Venezuela. Tengo el **pelo** rubio, liso y corto y los **ojos** verdes. **Llevo** gafas. Mi cumpleaños **es** el ocho **de** abril.

4. Answer the questions below about all five texts

a. Alina   b. Alina   c. Alina   d. 6 people wear glasses (Marta, Travis, Alina, Sergio -Alina's brother-, Alina's dad, and Pablo)   e. Travis, Alejandro's brother   f. Alina   g. Pablo   h. Alejandro

Unit 7. Describing hair and eyes: TRANSLATION

1. Faulty translation: spot and correct (in the English) any translation mistakes you find below

a. I have grey ~~eyes~~ **hair**   b. He has ~~brown~~ **blue** eyes   c. ~~He has~~ **I have** a beard   d. ~~I am~~ **He is** called Pedro

e. ~~I have long~~ **He has crew-cut** hair   f. I have green eyes   g. ~~I am from~~ **I live in** Madrid

2. From Spanish to English

a. I have blond hair   b. I have grey eyes   c. He/she has straight hair   d. He wears glasses and a beard

e. I have/wear a moustache   f. I wear sunglasses   g. I don't have/wear a beard   h. I have curly hair   i. I have long hair

3. Phrase-level translation

a. el pelo rubio   b. me llamo   c. tengo   d. los ojos azules   e. el pelo liso   f. tiene   g. diez años   h. tengo los ojos negros

i. tengo nueve años   j. los ojos marrones   k. el pelo moreno

4. Sentence-level translation

a. Me llamo Mark. Tengo diez años. Tengo el pelo moreno y rizado, y los ojos azules

b. Tengo doce años. Tengo los ojos verdes y el pelo rubio y liso

c. Me llamo Ana. Vivo en Madrid. Tengo el pelo largo y rubio y los ojos marrones.

d. Me llamo Pedro. Vivo en Argentina. Tengo el pelo moreno, muy corto y ondulado.

e. Tengo quince años . Tengo el pelo moreno, rizado y largo, y los ojos verdes.

f. Tengo trece años. Soy pelirroja y tengo el pelo liso y largo, y los ojos marrones.

Unit 7. Describing hair and eyes: WRITING

1. Split sentences

a. Tengo el pelo **rubio**   b. Llevo **barba**   c. Tengo los **ojos verdes**   d. Tengo el **pelo negro**   e. Tengo el pelo rubio **y rizado**

f. Me llamo **Marta**   g. Tengo diez **años**

2. Rewrite the sentences in the correct order

a. Tengo el pelo rizado   b. No llevo barba   c. Me llamo Ricardo   d. Soy pelirrojo y tengo el pelo largo

e. Mi hermano se llama Pablo

3. Spot and correct the grammar and spelling errors

a. Tengo los ojo̶s negros   b. Mi hermano s̶e llama̶n Antonio   c. Tiene **el** pelo rizado   d. **Me** llamo / Se llam**a** Marta

e. Tengo catorce a̶ños   f. Tengo el **pelo liso**   g. Tengo **los** ojos verdes   h. Llevo barba̶s   i. Llevo gafas   j. **No** llevo bigote

4. Anagrams

a. pelo   b. barba   c. ojos   d. años   e. azules   f. rubio   g. negros   h. rizado

5. Guided writing: write 3 short paragraphs in the first person singular (I) describing the people below

Luis: Me llamo Luis y tengo doce años. Tengo el pelo castaño, largo y rizado y los ojos verdes. Llevo gafas y bigote pero no llevo barba.

Ana: Me llamo Ana y tengo once años. Tengo el pelo corto, rubio y liso, y los ojos azules. No llevo gafas y no llevo ni barba ni bigote.

Alejo: Me llamo Alejo y tengo diez años. Soy pelirrojo y tengo el pelo ondulado y a media melena, y los ojos negros. Llevo gafas y barba, pero no llevo bigote.

6. Describe this person in the third person

Se llama Jorge. Tiene quince años. Tiene el pelo moreno, rizado y muy corto. Tiene los ojos marrones. No lleva gafas y tiene barba.

TERM 2 – BRINGING IT ALL TOGETHER – 7

1. Complete the following translation of the first paragraph

My name is Angela and I am **18** years old. My birthday is on the **25th** July. I am **from** Gibraltar. I live here with my **family** and my **cat**, Mr. Whiskers. Today I am very **happy** because it is my **cat's birthday**. Later I am going to go to **the beach** with my **parents** and my **brother** Carlos. I love **swimming** in the **sea** with him.

2. Answer (in English) the questions below on paragraphs 2, 3 and 4

a. Angela's mother   b. Señor Bigotes (Mr. Whiskers)   c. The dad, Luca   d. Señor Bigotes (Mr. Whiskers), the cat
e. The younger sister, Rosa   f. Her chemistry teacher   g. She thinks it's not useful

3. Find the 9 mistakes in the following translation of paragraph 5

I live with my family and **Mr.** Whiskers (the **cat** is really part of the family) in a small flat in a quite **modern** building in the **centre** of Gibraltar. I love my flat because it's **pretty** and I have a lot of **books** in my bedroom. There are many beautiful **beaches** in Gibraltar. I **always** go to the beach by bus with my best friend, Simona. My favourite **beach** is called *la Caleta*.

4. Find the Spanish equivalent for the items below in paragraphs 5 & 6

a. Un piso pequeño   f. Me gusta descansar
b. Tengo muchos libros   g. Me gusta salir
c. Hay muchas…   h. Al centro de la ciudad
d. Playas bonitas   i. Me encanta la comida italiana
e. Mi playa favorita   j. Mi plato favorito

TRANSCRIPTS: Unit 8 - Describing myself and another family member

1. Multiple choice quiz: select which adjective you hear

a. Mi padre es generoso. b. Mi hermana mayor es divertida. c. Mi madre es inteligente. d. Mi hermana menor es guapa. e. Mi primo Pablo es fuerte. f. Mi hermano no es feo. g. Mi prima Marta es aburrida. h. Mi abuelo es un poco antipático. i. Mi abuela es divertida. j. Mi novio es musculoso.

2. Split sentences: listen and match

(a) Mi amigo Jaime es muy malo. **(b)** Mi amiga Silvia es alta. **(c)** Juan es divertido. **(d)** Mi hermano Pedro es bajo. **(e)** Mi amiga Marina es musculosa. **(f)** Mi prima Consuelo es fea. **(g)** Mi amigo Enrique es fuerte. **(h)** Mi amigo Pablo es terco. **(i)** Mi hermana Paola es aburrida. **(j)** Mi amigo Manolo es guapo.

3. Spot the intruders: identify the word in each sentence the speaker is NOT saying

a. Mi hermano es guapo.   b. Mi tío tiene cuarenta y un años. Es bastante divertido.
c. Me llevo muy bien con mi padre porque es generoso.   d. Mi primo Ian no es alto.
e. Mi padre es de estatura media.   f. Mi novia es habladora. g. Yo soy musculoso y fuerte.

4. Spot the differences and correct your text

a. Mi **madre** es muy paciente.   b. Mi madre es muy **trabajadora**.
c. En mi familia hay cinco personas: mi madre, mi **padrastro**, mis dos hermanos y yo.   d. ¿Cómo **eres**?
e. Mi tío tiene **setenta** años pero es muy **fuerte**.
f. Me llevo mal con mis padres, especialmente con mi madre porque es muy **estricta**.
g. En mi familia somos todos **altos**.

5. Categories: listen to the words below and classify them in positive and negative

a. Inteligente   b. Generoso   c. Simpático   d. Antipático   e. Bueno   f. Perezoso   g. Aburrido
h. Divertido   i. Egoísta   j. Trabajador

6. Faulty translation: spot and correct the translation errors

a. Me llamo Ana del Casar. Tengo 14 años. Tengo el pelo rubio y los ojos verdes. Soy baja, musculosa y muy guapa. Soy simpática, habladora y bastante graciosa.
b. Mi madre se llama Paola. Tiene 45 años. Es alta, delgada y muy guapa. Es generosa pero un poco estricta.
c. Mi padre se llama Roberto. Tiene 53 años. No es ni alto ni bajo. Es muy generoso, simpático y paciente.
d. Mi hermana se llama Carmen. Tiene 16 años. Es bastante alta y guapa, pero a veces es un poco antipática y terca. También es bastante impaciente y perezosa.
e. También tengo un perro. Es muy feo, pero es gracioso.

7. Listen and complete with the correct masculine or feminine ending

a. Es muy **simpáticA**.
b. Son muy **tercOS**.
c. Mi madre y mi padre son muy **altOS**.
d. Soy **bajA** y **pacientE**.

e. ¡Qué **graciosA** eres!
f. ¡Qué **malOS** son!
g. Mis **hermanAS** son muy **trabajadorAS**
h. ¡Qué **divertidA** eres!

8. Listening slalom: follow the speaker from top to bottom and number the boxes accordingly

(a) Me llamo Nina. Tengo 17 años y soy alta y delgada. Mi hermano pequeño es alto y fuerte. Me llevo bien con él porque es paciente y servicial. Además, es generoso y simpático.
(b) Me llamo Manuela y tengo 15 años. No soy ni alta ni baja. Mi hermano menor es bajo y delgado. Me llevo muy bien con él porque es amable y positivo. Además, es muy gracioso.
(c) Me llamo Juan Carlos y tengo 13 años. Soy bajo y delgado. Mi hermana mayor es baja y muy guapa. Me encanta porque es generosa y graciosa.
(d) Me llamo Ana y tengo 12 años. No soy muy alta. Mi hermana mayor es baja y delgada. Me gusta mucho porque es divertida y amable.

9. Narrow listening: fill in the grid

(a) Me llamo Felipe. Mi hermano mayor se llama Jaime y tiene 18 años. Su cumpleaños es el 20 de junio. ¡Es perezoso y feo!
(b) Me llamo Andrea. Mi hermana mayor se llama Lucía y tiene 17 años. Su cumpleaños es el 30 de diciembre. Es aburrida pero guapa.
(c) Me llamo Eugenio. Mi hermana mayor se llama Marta y tiene 19 años. Su cumpleaños es el 22 de abril. Es molesta y gorda.
(d) Me llamo Melania. Mi hermana mayor se llama Conchi y tiene 21 años. Su cumpleaños es el uno de enero. Es graciosa y alta.

ANSWERS: Unit 8 - Describing myself and another family member

Unit 8. Describing myself and other family members: LISTENING

1. Multiple choice quiz: select which adjective you hear

a. generous	b. fun	c. intelligent	d. pretty	e. strong
f. ugly	g. boring	h. mean	i. fun	j. muscular

2. Split sentences: listen and match

a. Jaime – Bad	b. Silvia – Tall	c. Juan – Fun	d. Pedro – Short
e. Marina – Muscular	f. Consuelo – Ugly	g. Enrique – Strong	h. Pablo – Stubborn
i. Paola – Boring	j. Manolo – Handsome		

3. Spot the intruders: identify the word in each sentence the speaker is NOT saying

a. Mi hermano es ~~muy~~ guapo.   b. Mi tío ~~Pedro~~ tiene cuarenta y un años. Es bastante divertido.
c. Me llevo muy bien con mi padre porque es ~~paciente y~~ generoso.   d. Mi primo Ian no es ~~muy~~ alto.
e. Mi padre es de ~~la~~ estatura media.   f. Mi novia es ~~demasiado~~ habladora.
g. Yo soy ~~alto~~, musculoso y fuerte.

4. Spot the differences and correct the text

a. Mi **madre** es muy paciente.
b. Mi madre es muy **trabajadora**.
c. En mi familia hay cinco personas: mi madre, mi **padrastro**, mis dos hermanos y yo.
d. ¿Cómo **eres**?
e. Mi tío tiene **setenta** años pero es muy **fuerte**.
f. Me llevo mal con mis padres, especialmente con mi madre porque es muy **estricta**.
g. En mi familia somos todos **altos**.

5. Categories: listen to the words below and classify them in positive and negative

ADJETIVOS POSITIVOS	ADJETIVOS NEGATIVOS
Inteligente	Antipático
Generoso	Perezoso
Simpático	Aburrido
Bueno	Egoísta
Divertido	
Trabajador	

6. Faulty translation: spot and correct the translation errors

a. My name is Ana del Casar. I am **14** years old. I have **blond** hair and green eyes. I am **short**, muscular and **very** good-looking. I am nice, talkative and quite **funny**.

b. My mother is called Paola. She is **45** years old. She is **tall**, slim and very **pretty**. She is generous but a bit **strict**.
c. My father is called Roberto. He is **53** years old. He is neither tall nor short. He is very generous, **nice** and **patient**.
d. My sister is called Carmen. She is **16**. She is quite tall and **pretty**, but sometimes she is a bit mean and **stubborn**. She is also quite **impatient** and lazy.
e. I also have a **dog**. It is very **ugly**, but it is funny.

7. Listen and complete with the correct masculine or feminine ending

a. Es muy **simpáticA**.
b. Son muy **tercOS**.
c. Mi madre y mi padre son muy **altOS**.
d. Soy **bajA** y **pacientE**.
e. ¡Qué **graciosA** eres!
f. ¡Qué **malOS** son!
g. Mis **hermanAS** son muy **trabajadorAS**.
h. ¡Qué **divertidA** eres!

8. Listening slalom: follow the speaker from top to bottom and number the boxes accordingly

a. Nina	b. Manuela	c. Juan Carlos	d. Ana
a. My name is Nina	b. My name is Manuela	c. My name is Juan Carlos	d. My name is Ana
b. I am 15 years old	a. I am 17 years old	c. I am 13 years old	d. I am 12 years old
a. I am tall and slim	b. I am neither tall nor short	d. I am not very tall	c. I am short and slim
d. My older sister is short and slim	c. My older sister is short and very pretty	b. My younger brother is short and slim	a. My younger brother is tall and strong
c. I love her	b. I get on very well with him	a. I get on well with him	d. I like her a lot
b. because he is nice and positive	c. because she is generous	d. because she is fun	a. because he is patient and helpful.
d. and kind.	b. Also, he is very funny.	a. Also, he is very generous and kind.	c. and funny

9. Narrow listening: fill in the grid

Name	Name of older sibling	Age of older sibling	Birthday of older sibling	Character of older sibling	Appearance of older sibling
a. Felipe	Jaime	18	20th June	Lazy	Ugly
b. Andrea	Lucía	17	30th Dec	Boring	Pretty
c. Eugenio	Marta	19	22nd April	Annoying	Fat
d. Melania	Conchi	21	1st Jan	Funny	Tall

Unit 8. VOCABULARY BUILDING

1. Match

Soy simpático – I am nice   **Soy antipático** – I am mean   **Soy terco** – I am stubborn
Soy guapo – I am good-looking   **Soy divertido** – I am fun   **Soy generoso** – I am generous   **Soy fuerte** – I am strong
Soy malo – I am bad   **Soy bajo** – I am short   **Soy alto** – I am tall   **Soy delgado** – I am slim

2. Complete

a. Mi hermano menor es d**elgado**   b. Mi padre es a**ntipático**   c. Mi hermana mayor es **terca**   d. Soy m**usculoso**
e. Mi hermano mayor es d**ivertido**   f. Mi amigo Paco es f**uerte**

3. Categories

El físico: a. fuerte   b. musculoso   e. guapo   k. gordo   l. feo
La personalidad: c. simpático   d. terco   f. inteligente   g. paciente   h. malo   i. generoso   j. aburrido   m. divertido

4. Complete the words

a. Soy aburr**ido**   b. Soy f**eo**   c. Soy muscu**losa**   d. Soy te**rco**   e. Soy ma**la**   f. Soy gua**po**   g. Soy simp**ática**
h. Soy go**rdo**

5. Translate into English

a. My older sister is generous   b. My younger brother is fat   c. My older brother is boring   d. My mother is fun
e. I am not ugly   f. I am a bit stubborn   g. I am very handsome   h. My friend Valentino is strong

6. Spot and correct the translation mistakes

a. ~~He is~~ **I am** strong   b. He is ~~fat~~ **slim**   c. I am very ~~ugly~~ **pretty**   d. My mother is ~~short~~ **tall**   e. My rat is ~~small~~ **ugly**
f. My sister is ~~three~~ **stubborn.**   g. My father is ~~bad~~ **good**

7. Complete

a. mi m**adre**   b. mi h**ermano**   c. mi **padre**   d. s**oy f**uerte   e. es **terco**   f. s**oy m**alo   **g.** s**oy** am**able**

8. Translate into Spanish

a. Soy fuerte y graciosa   b. Mi madre es muy terca   c. Mi hermana es baja y delgada   d. Mi hermano es inteligente
e. Soy amable y divertida   f. Mi padre es alto y gordo   g. Gargamel es feo y antipático

Unit 8. Describing my family: VOCABULARY BUILDING

1. Complete with the missing word

a. En mi familia **tengo**   b. Tengo **cuatro** personas   c. Mi **madre**, Angela   d. Me llevo **bien** con
e. Me llevo **mal** con   f. Mi tío **es** muy alto   g. Mi **tía** es muy simpática   h. Mi prima Clara es **divertida**

2. Match

mi tía – my aunt   **mi abuelo** – my granddad   **mi madre** – my mum   **mi padre** – my dad
mi abuela – my grandma   **mi primo** – my cousin*(f)*   **mi hermana mayor** – my big sister
mi tío – my uncle   **mi hermano** – my brother   **mi prima** – my cousin*(f)*

3. Translate into English

a. I like my uncle   b. My cousin*(f)* is generous   c. He/she has blond hair   d. I get on well with
e. I don't like my…   f. I get on badly with…   g. He is stubborn   h. She is quiet

4. Add the missing letter

a. Terco   b. Me llevo   c. Simpático   d. Abuelo   e. Primo   f. Menor   g. Mayor   h. Madre   i. También   j. Tío
k. Me gusta   l. Porque

5. Broken words

a. En mi fam**ilia** tengo…   b. **cuatro personas**   c. Mi m**adre es muy simpática**   d. Me **llevo bien con mi**…
e. Mi **tío es muy generoso**   f. Me **llevo mal con mi**…   g. Mi **hermana tiene el pelo largo**
h. Mi **padre es bastante inteligente**

6. Complete with a suitable word

a. Tengo cuatro **hermanos**   b. **Es** simpática   c. Me **llevo** bien   d. Es muy **terco/inteligente**   e. Tiene el **pelo** rubio
f. **Me** gusta mi madre   g. Me llevo **bien** con mi tío   h. Tiene el pelo negro y **rizado**   i. Tiene los **ojos** azules
j. Mi primo es **muy** divertido   k. Mi **madre / padre** es muy inteligente   l. Mi abuela tiene ochenta **años**

Unit 8. Describing my family: READING

1. Find the Spanish in Verónica's text

a. me llamo   b. en el sur   c. mi abuelo   d. pero   e. muy   f. mi padre   g. los ojos marrones.   h. el pelo rapado

2. Answer the following questions about Pedro

a. 10 years old   b. Madrid, Spain   c. 8 people   d. his uncle   e. because he is fun and nice   f. his aunt   g. 5th May

3. Complete with the missing words

Me llamo Alejandra. **Tengo** diez años y vivo **en** Barcelona. En mi familia tengo cuatro **personas**. Me **llevo** bien con mi abuelo porque **es** muy simpático y bueno. Mi padre tiene el **pelo** corto y los **ojos** verdes.

4. Find someone who...

a. Juanjo   b. Manolo   c. Pedro's aunt   d. Manolo   e. Verónica   f. Carlos   g. Verónica's dad / Manolo   h. Pedro
i. Alejandra

Unit 8. Describing my family: TRANSLATION

1. Faulty translation: spot and correct any translation mistakes (in the English) you find below

a. In my family I have ~~fourteen~~ **four** people   b. My mother Angela and my ~~cousin~~ **brother** Darren
c. I get on very ~~well~~ **badly** with my father   d. My ~~father~~ **uncle** is called Ivan   e. Ivan is very ~~mean~~ **nice** and fun
f. Ivan has ~~long~~ **crew-cut** hair

2. Translate into English

a. I like my granddad   b. My grandmother is good   c. My cousin has crew-cut hair
d. I get on well with my older brother   e. I get on badly with my cousin*(f)*
f. I like my granddad because he is generous   g. My father is nice and fun   h. I don't like my younger brother
i. I get on badly with my cousin Ernesto because he is a bit silly.

3. Phrase-level translation

a. Es simpático   b. Es generosa   c. Me llevo bien con…   d. Me llevo mal con…   e. Mi tío es divertido
f. Mi hermano menor   g. Me gusta mi prima Mary   h. Tiene el pelo corto y moreno   i. Tiene los ojos azules
j. No me gusta mi abuelo   k. Es muy terco

4. Sentence-level translation

a. Me llamo Joaquín. Tengo nueve años. En mi familia hay cuatro personas.
b. Me llamo Carla. Tengo los ojos azules. Me llevo bien con mi hermano.
c. Me llevo mal con mi hermano porque es terco.
d. Me llamo Frank. Vivo en España. No me gusta mi tío David porque es antipático.
e. Me gusta mucho mi prima porque es muy buena.
f. En mi familia tengo cinco personas. Me gusta mi padre pero no me gusta mi madre.

Unit 8. Describing my family: WRITING

1. Split sentences

Mi padre es **simpático**   Mi madre es **generosa**   Tiene los **ojos negros**   Tiene el **pelo negro**   No me gusta **mi tío**
Me gusta mucho mi **tía**   Me llevo **bien con**

2. Rewrite the sentences in the correct order

a. En mi familia tengo seis personas   b. Me llevo bien con mi hermano   c. No me gusta mi tío
d. Mi madre tiene los ojos azules   e. Mi tía es simpática y divertida   f. Tengo los ojos negros

3. Spot and correct the grammar and spelling errors

a. En mi familia tengos   b. Me llevo bien con…   c. No me gusta mi tía…
d. Mi hermana es divertida / Mi hermano es divertido   e. Me llevo malo con…   f. Mi padre es generoso
g. Tiene los ojos azules   h. Mi hermana es muy mala   i. Tiene el pelo rapados   j. Me gusta mucho mi abuela

4. Anagrams

a. familia   b. delgada   c. gorda   d. guapa   e. inteligente   f. simpática   g. terco   h. divertida

5. Guided writing

Paco: Me llamo Paco y tengo doce años. En mi familia tengo cuatro personas. Me gusta mi madre porque es muy simpática. Tiene el pelo rubio y largo. Me gusta mi hermano mayor porque es divertido y muy bueno, pero no me gusta mi prima Gemma porque es muy antipática y mala.
Leo: Me llamo Leo y tengo once años. En mi familia tengo cinco personas. Me gusta mi padre porque es muy divertido. Tiene el pelo moreno y corto. Me gusta mi abuela porque es simpática y generosa. Sin embargo, no me gusta mi tío Eduardo porque es feo y terco.
Miguel: Me llamo Miguel y tengo diez años. En mi familia tengo tres personas. Me gusta mi abuelo porque es muy divertido. Tiene el pelo muy corto. Me gusta mi hermana menor porque es muy buena y tranquila. No me gusta mi tía Carolina porque es muy fuerte, pero terca.

6. Describe this person in the third person:

Mi tío se llama Antonio. Tiene el pelo rubio y muy corto. Tiene los ojos azules. Me gusta mucho mi tío. Es alto y fuerte. De caracter, es simpático, divertido y generoso.

TERM 2 – BRINGING IT ALL TOGETHER – 8

1. Complete the following translation of the first paragraph

My name is Lily and I am **15** years old. My birthday is on **18th** March. I am from Berlin, the **capital** of Germany. I live here with my family. Today I am very **happy**. I am **excited** because later I am **going to go to the park** with my **best friend**, Dylan. My friend Dylan is very tall and **funny**. I love going **jogging** with him.

2. Answer (in English) the questions below on paragraphs 2, 3 and 4

a. 5   b. Sofia   c. 75   d. He paints and plays basketball   e. Marco   f. Lily's younger sister
g. She dislikes science because it's boring

3. Find the 8 mistakes in the following translation of paragraph 5

My family and I live in a flat in a modern building in the **outskirts** of Berlin. I **love** my flat because it is **bright** and **calm**. There is **park** nearby where I like to **ride the bike**. My best friend is called Lisa and she, too, likes to **ride the bike** with me. We have a lot of fun **together**.

4. Find the Spanish equivalent for the items below in paragraphs 6 and 7

a. Una escuela pequeña
b. Bastante estrictos
c. Aprendo mucho
d. Tengo muchos amigos
e. Me encanta leer
f. En mi tiempo libre
g. Nuevos lugares
h. Aire libre
i. Me encanta el helado
j. Fresa

5. Spot and circle the 8 differences between the text below and the text in paragraph 1

Me llamo Sofia y tengo **catorce** años. Mi cumpleaños es el veintitrés de **junio**. Soy de Roma, la capital de **Italia**. Vivo aquí con mi **familia**. Hoy estoy muy **contenta**. Estoy feliz porque después voy a ir al **museo** con mi mejor amiga, Laura. Mi amiga Laura es muy extrovertida y **divertida**. Me encanta **hacer deporte** con ella.

6. Answer the following questions about paragraphs 1, 2 and 3

a. She is feeling happy because she is going to the museum with her best friend   b. Sport   c. Sofia's cat
d. Sofia's grandmother   e. To play guitar and play football   f. Blue eyes, short hair, strong, funny, sociable

7. Complete the following translation of paragraph 4

My **cousin** Alba is very **sporty**. She has **green** eyes and long **curly** hair. She is very intelligent and **hard-working**. In school, her favourite **subject** is geography because she says that the teacher is **very good** and that she **learns** a lot in lessons. She **doesn't like** art because she says it **isn't very useful**.

8. Identify and correct any inaccurate statement: paragraphs 5 to 7

a. They live in a big flat **in the centre of** Rome   b. Her flat is **small**   c. She goes jogging every **weekend**
d. Her teachers are **very intelligent and always help her**   d. She learns a lot in her history lessons – Correct
e. She enjoys going to the swimming pool with her **family**

TRANSCRIPTS: Unit 9 - Comparing people's appearance and personality

1. Multiple choice quiz: select the correct adjective

a. Me llamo Alex y soy alto.   b. Me llamo Rosa y soy baja.   c. Soy Pablo y soy ruidoso.
d. Soy Paco y soy guapo.   e. Me llamo Ada y soy perezosa.   f. Me llamo Pepe y soy antipático.
g. Me llamo Marta y soy fuerte.   h. Soy Samuel y soy simpático.   i. Soy Teo y soy serio.
j. Me llamo Lea y soy trabajadora.

2. Listening for detail: did you hear the masculine or the feminine form?

a. aburrida   f. alto
b. habladora   g. simpático
c. perezosa   h. seria
d. ruidoso   i. trabajador
e. tranquila

3. Complete with 'más…que', 'menos…que' or 'tan…como' as shown in the example

a. Mi hermano es **menos** deportista **que** yo.   e. Mi mejor amigo es **tan** bajo **como** yo.
b. Mi gato es **tan** tranquilo **como** mi perro.   f. Mi tío es **más** gordo **que** mi padre.
c. Yo soy **más** fuerte **que** mi primo.   g. Mi primo Ian es **tan** guapo **como** mi primo Ronnie.
d. Mi abuelo es **menos** viejo **que** mi abuela.

4. Listen and fill in the middle column with the missing information in English

a. Me llamo Silvia y soy tan baja como Alfonso.   b. Me llamo Juan y soy más gracioso que Diego
c. Me llamo Paco y soy más simpático que Jaime.   d. Soy Maite y soy menos habladora que Gonzalo.
e. Soy Consuelo y soy más perezosa que Pilar.   f. Me llamo Julio y soy más trabajador que Yolanda.
g. Me llamo Felipe y soy más cariñoso que Jordi.   h. Soy Dylan y soy tan tonto como Samuel.
i. Soy Verónica y soy menos deportista que Sergio.

5. Spot the differences and correct your text

a. Yo soy más alto que mi **padre**.   b. Mi **hermano** es tan perezoso como yo.
c. Mi mejor amigo es **menos** trabajador que yo.   d. Mi hermana es **tan** guapa **como** mi madre.
e. Mi perro es más ruidoso que mi **gato**.   f. Mi abuela es **más** vieja que mi abuelo.
g. Mi madre es **más** deportista **que** mi hermano y yo.

6. Listen, spot and correct the errors

a. Mi madre es más **alta que** yo.
b. Mi hermano mayor **es** más fuerte que mi hermano menor.
c. Mi padre es más trabajador que **yo.**
d. Mi abuelo es más **viejo** que mi abuela.
e. Mis tíos son **mucho** más viejos que mis padres.
f. Mis abuelos maternos son tan **viejos** como mis **abuelos paternos.**
g. Yo soy más delgado **que** mis padres.
h. Mis primos **son** más ricos que **nosotros.**

7. Listen and complete the translation

a. Mi padre es más alto que yo.   b. Mi madre es tan guapa como yo.
c. Mi hermano mayor es más musculoso que yo.   d. Mi hermano menor es más delgado que yo.
e. Mi hermana es más trabajadora que yo.   f. Mi tío es más bajo que yo.
g. Mi abuela es más habladora que yo.   h. Mi mejor amigo es menos serio que yo.
i. Mi novia es más graciosa que yo.   j. Mi perro es tan tranquilo como yo.

8. Answer the questions below about Antonio

Hola, soy Antonio. Tengo **quince** años y vivo en **Ceuta.** Hay **cinco** personas en mi familia. Mi hermano Pablo es más **delgado** y **deportista** que mi hermano Julio. Sin embargo, Julio es más **alto** y **fuerte** que Pablo. Prefiero a mi padre porque es **menos estricto** que mi madre. Yo soy tan **simpático** como mi madre. Tengo muchas mascotas en casa pero mi **loro** es el más hablador.

9. Listening slalom: follow the speaker from top to bottom and number the boxes accordingly

(a) Mi padre es más hablador que mi madre, tan alto como mi hermano menor y tan **simpático como** mi hermano mayor.
(b) Mi **tía** es tan trabajadora como mi **tío**, tan deportista como yo y tan **graciosa** como mi **prima**.
(c) Mi madre es **tan** cariñosa **como** mi padre, tan perezosa como mi hermana mayor y **un poco más** inteligente **que su hermana**.
(d) Mi amiga es menos trabajadora que mi hermano, menos generosa que mi hermana y más aburrida que mi pez dorado.

ANSWER: Unit 9 - Comparing people's appearance and personality

Unit 9. Comparing people: LISTENING

1. Multiple choice quiz: select the correct adjective

Alex:tall **Rosa**: short **Pablo**: noisy **Paco**: good-looking **Ada**:lazy **Pepe**:unfriendly
Marta:strong **Sam**: friendly **Teo**: serious **Lea**: hardworking

2. Listening for detail

MASCULINE	FEMININE
a. aburrido	**aburrida**
b. hablador	**habladora**
c. perezoso	**perezosa**
d. **ruidoso**	ruidosa
e. tranquilo	**tranquila**
f. **alto**	alta
g. **simpático**	simpática
h. serio	**seria**
i. **trabajador**	trabajadora

3. Complete with 'más…que', 'menos…que' or 'tan…como' as shown in the example

*e.g. Mi madre es **más** alta **que** mi padre.*
a. Mi hermano es **menos** deportista **que** yo.
b. Mi gato es **tan** tranquilo **como** mi perro.
c. Yo soy **más** fuerte **que** mi primo.
d. Mi abuelo es **menos** viejo **que** mi abuela.
e. Mi mejor amigo es **tan** bajo **como** yo.
f. Mi tío es **más** gordo **que** mi padre.
g. Mi primo Ian es **tan** guapo **como** mi primo Ronnie.

4. Listen and fill in the middle column with the missing information in English

a. Silvia	is as short as	Alfonso
b. Juan	is funnier than	Diego
c. Paco	is friendlier than	Jaime
d. Maite	is less talkative than	Gonzalo

e. Consuelo	is lazier than	Pilar
f. Julio	is more hard-working than	Yolanda
g. Felipe	is more affectionate than	Jordi
h. Dylan	is as silly as	Samuel
i. Verónica	is less sporty than	Sergio

5. Spot the differences and correct the text

a. Yo soy más alto que mi **padre**.
b. Mi **hermano** es tan perezoso como yo.
c. Mi mejor amigo es **menos** trabajador que yo.
d. Mi hermana es **tan** guapa **como** mi madre.
e. Mi perro es más ruidoso que mi **gato**.
f. Mi abuela es **más** vieja que mi abuelo.
g. Mi madre es **más** deportista **que** mi hermano y yo.

6. Listen, spot and correct the errors

a. Mi madre es más **alta que** yo.
b. Mi hermano mayor **es** más fuerte que mi hermano menor.
c. Mi padre es más trabajador que **yo.**
d. Mi abuelo es más **viejo** que mi abuela.
e. Mis tíos son **mucho** más viejos que mis padres.
f. Mis abuelos maternos son tan **viejos** como mis **abuelos paternos.**
g. Yo soy más delgado **que** mis padres.
h. Mis primos **son** más ricos que **nosotros.**

7. Listen and complete the translation

a. **My father is** taller than me
b. **My mother is** as good-looking as me
c. **My older brother is** more muscular than me
d. **My younger brother is** skinnier than me
e. **My sister is** more hardworking than me
f. **My uncle is** shorter than me
g. **My grandma is** more talkative than me
h. **My best friend is** less serious than me
i. **My girlfriend is** funnier than me
j. **My dog is** as calm as me

8. Answer the questions below about Antonio

a. How old is he? **15**
b. Where does he live? **Ceuta**
c. How many people are there in the family? **Five**
d. Pablo is **slimmer** and **sportier** than Julio
e. Julio is **taller** and **stronger** than Pablo
f. Why does he prefer his father? **He is less strict**
g. He is as **nice** as his mother
h. Which of his pets is the most talkative? **The parrot**

9. Listening slalom: follow the speaker from top to bottom and number the boxes accordingly

a	b	c	d
My father is more (a)	My aunt is as (b)	My mother is as (c)	My friend is (d)
affectionate as my father, (c)	**talkative than my mother, (a)**	less hard-working than my brother, (d)	hard–working as my uncle, (b)
as sporty as (b)	as lazy as (c)	**as tall as (a)**	less generous than (d)
my sister (d)	me (b)	my older sister (c)	**my younger brother (a)**
and a bit more (c)	and more (d)	**and nicer (a)**	and as (b)
boring (d)	**than (a)**	funny (b)	intelligent than (c)
as my cousin. (b)	her sister. (c)	than my goldfish. (d)	**my older brother. (a)**

Unit 9. Comparing people: VOCABULARY BUILDING

1. Complete with the missing word

a. Mi padre es más alto **que** mi hermano mayor   b. Mi madre es **menos** habladora que mi **tía**
c. Mi **abuelo** es más bajo que **mi** padre   d. Mis primos son **más** perezosos que **nosotros**
e. Mi perro **es** más **ruidoso** que mi **gato**   f. Mi tía es **menos** guapa que **mi** madre
g. Mi **hermano** es más **trabajador** que yo   h. Mis padres **son** más **amables** que mis tíos
i. Mi hermano menor es **tan** alto **que** yo

2. Translate into English

a. my cousins   b. more   c. my uncle   d. my grandparents   e. my sister   f. my best friend   g. hard-working
h. my friend   i. tall   j. old   k. stubborn   l. lazy

3. Match Spanish and English

trabajador – hard-working   **guapo** – good-looking   **amable** – kind   **fuerte** – strong   **deportista** – sporty
viejo – old   **tonto** – silly

4. Spot and correct any English translation mistakes

a. he is taller than ~~you~~ **me**   b. he is as ~~funny~~ **good-looking** as me   c. she is ~~stronger~~ **more calm** than me
d. I am ~~more~~ **less** fat than him   e. they are **less kind** ~~shorter~~ than us   f. ~~she is~~ **I am** as old as him
g. ~~You are~~ **he/she** is sportier than me

5. Complete with a suitable word

a. Mi madre es **más/menos** alta **que** yo   b. **Mi** padre **es** más joven que mi tío   c. Mis padres son **tan** altos como **mis** abuelos
d. **Mis** hermanos **son** más deportistas que mis primos   e. Mi **hámster/perro** es menos ruidoso **que** mi pato
f. Mis abuelos **son** tan cariñosos **como** mis padres   g. Mi novia es **más/menos** guapa que **mi** tortuga
h. Mi tío no **es** tan fuerte **como** mi padre

6. Match the opposites

guapo – **feo**   trabajador – **perezoso**   joven – **viejo**   alto – **bajo**   divertido – **aburrido**   débil – **fuerte**
más – **menos**   delgado – **gordo**

Unit 9. Comparing people: READING

1. Find the Spanish for the following in Jorge's text

a. Vivo en   b. mis padres   c. guapo   d. trabajador   e. menos terca   f. más paciente   g. pero   h. mi pato
i. dos mascotas   j. muy amables.   k. tan terco como

2. Complete the statements below based on Victoria's text

a. I am **20** years old   b. Marina is more **beautiful** than Verónica   c. Verónica is more **friendly**
d. My parents are very **affectionate** and **kind**   e. I am as **funny** as my father
f. We have **two** pets, a **dog** and a **rabbit**

3. Correct any of the statements below [about José Garcías text] which are incorrect

a. José tiene ~~tres~~ **dos** mascotas   b. -   c. -   d. José es tan hablador como su ~~cobaya~~ **loro**
e. José prefiere a su ~~madre~~ **padre**   f. José García es ~~más~~ **tan** terco ~~que~~ **como** su madre

4. Answer the questions on the three texts above

a. Ceuta   b. his mother   c. José   d. Jorge   e. Jorge   f. Victoria   g. José   h. Rubén
i. Felipe is taller, more good-looking and stronger than Ale, but Ale is kinder, more hard-working and intelligent.

Unit 9. Comparing people: TRANSLATION/WRITING

1. Translate into English

a. tall b. thin c. short d. fat e. intelligent f. stubborn g. silly h. good-looking i. ugly j. more… than
k. less… than l. strong m. weak n. as…as…

2. Gapped sentences

a. Mi **madre** es **más** alta **que** mi tía   b. **Mi** padre **es** más **fuerte** que mi hermano mayor
c. Mis **primos** son menos **deportistas** que nosotros   d. **Mi** hermano es **más** tonto que **yo**
e. Mi madre **es tan** amable **como** mi padre   f. Mi **hermana** es **más** trabajadora que **nosotros**
g. Mi **novia** es menos **seria que** yo   h. Mi **abuelo** es **más** terco **que** mi abuela

3. Phrase-level translation (English to Spanish)

a. mi madre es… b. más alta que… c. tan delgada como… d. menos terca… e. soy más bajo/baja que…
f. mis padres son… g. mis primos son… h. tan gordo como… i. son tan fuertes como… j. mis abuelos son…
k. soy tan perezoso/perezosa como…

4. Sentence-level translation: English to Spanish

a. Mi hermana mayor es más alta que mi hermana menor.   b. Mi padre es tan terco como mi madre.
c. Mi novia es más trabajadora que yo.   d. Soy menos inteligente que mi hermano.
e. Mi mejor amigo es más fuerte y deportista que yo.   f. Mi novio es más guapo que yo .
g. Mis primos son más feos que nosotros.   h. Mi pato es más ruidoso que mi perro .
i. Mi gato es más divertido que mi tortuga.   j. Mi conejo es menos gordo que mi cobaya.

TERM 2 – BRINGING IT ALL TOGETHER – 9

1. Complete the translation of paragraph 1

My name is Nora and I am **15** years old. My birthday is on **25th August**. I am from a **small** Mexican village which is called Chihuahua, but now I live in Amsterdam, the capital of **the Netherlands,** with my family. Today I am **happy** because later I am going to go to the **swimming pool** to **swim** with my **best friend,** Lucas. Lucas is very **fun** and always has **good ideas**. I **love** playing tennis with him.

2. Answer the following questions about paragraphs 2 to 4

a. He is less strict than her mother   b. The grandparents   c. To play the guitar and play basketball
d. Curly   e. Daniel   f. Nora's younger sister   g. Because maths are difficult

3. Find the Spanish equivalent for the following in paragraphs 4 and 5

a. Mi hermana menor   b. Pelo liso   c. Su asignatura favorita   d. Vivimos en   e. Nuestro piso
f. Siempre está limpio   g. Le gusta montar en bicicleta

4. Find the ten mistakes in the following translation of paragraph 6

I go to an **art** school in my **neighbourhood**. I like my school because the teachers are creative and **hard-working** and always **help** us to express ourselves. Also, I **love** the **contemporary** dance class because I can **dance** freely with my **female friends**. My favourite **subject** is oil painting because I love to **mix** colours and create **impressive** works of art.

5. Find someone who…

a. Luz   b. Luca   c. León   d. The grandmother   e. Luca   f. Lola   g. Rufus   h. Luz

6. Complete the sentences below

a. Today Luz is going to go **shopping**   b. She and her mum are going to buy **a present for her brother**
c. Her mum is as **funny** as her grandmother   d. Luca is **taller** than Luz
e. Lola enjoys doing weights and **playing basketball**   f. Luz's house is old but **cosy**
g. Luz's house is not too clean at times because **they have a big dog**
h. Juana also enjoys **swimming in the lake**   i. Luz enjoy her history lessons because her teacher **explains well**
j. Luz enjoys speaking **French**

7. Answer the following questions as if you were Luz

a. Soy de Montevideo   b. Estoy feliz   c. Seis personas   d. Mi padre es fuerte y mi madre es graciosa
e. Toca el saxofón y juega al ajedrez   f. Le gusta hacer pesas y jugar al baloncesto   g. Educación física
h. Mi casa es vieja pero acogedora   i. Rufus es mi perro   j. Es pequeño   k. Son muy buenos y pacientes
l. ¡Me encanta!   m. Porque me encanta hablar en francés y cantamos canciones

TERM 2 – MIDPOINT – RETRIEVAL PRACTICE

1. Answer the following questions in Spanish – Students' own answers

2. Write a paragraph in the first person singular (I) providing the following details

Me llamo Sandra. Tengo once años y soy de Inglaterra. Hoy estoy bien. En mi familia hay cuatro personas: mi padre, mi madre y mi hermana menor. Me llevo bien con mi madre, pero no me llevo bien con mi padre porque es muy estricto. Mi padre tiene cuarenta años, es bastante alto y rubio. Es inteligente y simpático. Mi madre tiene treinta y ocho años. Es baja y morena. Es muy amable y trabajadora. Mi hermana se llama Deborah. Tiene nueve años y su cumpleaños es el veinte de mayo. Deborah es más trabajadora y deportista que yo, ¡pero yo soy más graciosa! Mi escuela es grande y me gusta mucho porque los profesores son amables y siempre me escuchan. Me encanta el español porque el profesor es bueno, divertido y siempre me ayuda, y además tengo amigos en clase.

3. Write a paragraph in the third person singular (he/she) providing the following details about a friend – Students' own answers

TRANSCRIPTS: Unit 10 - Describing my teachers & saying why I like them

1. Tick or cross? Tick the words you hear in each sentence and cross the ones you don't

a. Me encanta el **arte**

b. Estudio matemáticas, **ciencias** e inglés

c. Mi asignatura favorita es el español

d. Mi profe de **teatro** siempre me ayuda

e. No me gustan las **matemáticas** porque son muy difíciles

f. Estudio ciencias y me encanta la biología

g. Me gusta mucho el **español** porque es útil para el futuro

h. No me gusta mi profe de **francés**, es un poco severo

2. Fill in the gaps

a. Me gusta el profe de **historia**

b. Me **gusta** la profe de matemáticas

c. No me gusta **el** profe de tecnología

d. No me gusta el profe de **ciencias**

e. Me gusta la profe de **geografía**

f. Me gusta mucho la profe de **alemán**

g. Me gusta el profe de **arte**

h. Me gusta **bastante** la profe de español

3. Spot the intruder

a. Me gusta mucho el profe de geografia porque es paciente

b. Me gusta la profe de inglés porque es simpática

c. Me gusta el profe de alemán porque es paciente

d. Me gusta mucho el profe de arte porque es trabajador

e. Me gusta la profe de francés porque nunca se enfada

f. No me gusta la profe de ciencias porque nos da muchos deberes

4. Faulty translation: correct the wrong translations

a. Me gusta mucho la profe de español

b. Nunca se enfada

c. Nos da pocos deberes

d. Nunca me chilla

e. El profe de arte me ayuda mucho

f. Mi profesor me comprende

5. Listen and write the Spanish translation next to each sentence

a. Me gusta mi profesor de alemán

b. (Ella) Nunca se enfada

c. (Él) Me comprende

d. (Él) Me ayuda

e. Me gusta mi profesor de ciencias

f. (Él) Es simpático

g. (Él) Es antipático

h. (Ella) Es trabajadora

6. Listen and tick the appropriate box

a. Mi profesor de alemán es gracioso

b. Mi profesora de historia es interesante

c. La profe de arte es **graciosa**

d. Mi profesora es muy divertida

e. El español es muy útil, y divertido también

f. Me gusta la música porque la profesora siempre me ayuda

g. La tecnología es muy interesante

h. El inglés es útil, pero un poco aburrido

7. Gapped translation

Me gusta **mucho** mi colegio. Mi asignatura favorita es **matemáticas** porque el profe es muy **amable** y siempre nos da **pocos** deberes. Además, es muy **gracioso** y me **ayuda** mucho. También me gusta mi profesora de **historia** porque ella es muy amable y **paciente** y me **comprende**. Nunca **se enfada** y nunca **me chilla**. Sin embargo, no me gusta mi profe de **ciencias** porque es muy severo y **antipático.** Siempre **me regaña** y nos da **muchos** deberes

8. Complete with the missing letter

a. La prof**e** de historia es trabajador**a**
b. El profe d**e** geografía es antipático
c. Me gust**a** la profe de ciencias porque es simpátic**a**
d. No me gust**a** la profe de arte porque es estrict**a**
e. M**i** profe de inglés e**s** muy trabajado**r** y pacient**e**
f. Mi profe de educació**n** física es muy aburrid**o**
g. Me encant**a** la profe de francés porque es gracios**a**
h. **N**o me gusta el **p**rofe de alemán porque es arrogant**e**

9. Guess the next word, then listen to the track to see if you guessed right

a. La profe de ciencias es **inteligente**
b. El profe de historia es **aburrido**
c. El profe de inglés es **interesante**
d. La profe de arte es **graciosa**
e. La profe de geografía es un poco **antipática**
f. El profe de tecnología es **divertido**
g. La profe de música es **estricta**

10. Listen and fill in the grid

e.g. Me gusta el francés porque el profe es gracioso y me ayuda mucho
a. No me gusta la historia porque la profe es aburrida y siempre se enfada
b. Me gusta el español porque el profe es interesante y paciente
c. Me gusta la geografía porque el profe no nos da muchos deberes y es simpático
d. Me gusta el inglés porque la profe es amable y trabajadora
e. No me gusta el arte porque el profe no me comprende y me regaña
f. Me gusta la música porque la profe es graciosa e interesante
g. Me gusta la educación física porque el profe me escucha y da pocos deberes

11. Listening slalom: follow the speaker from top to bottom and number the boxes accordingly

a. Me gusta la profe de historia porque es simpática y paciente. Ella me comprende y siempre me ayuda.
b. No me gusta la profe de ciencias porque es antipática y perezosa y nunca me ayuda.
c. Me encanta el profe de inglés porque es muy gracioso y trabajador. Es muy paciente y nunca me chilla.
d. Me gusta mucho la profe de español porque es graciosa e interesante. No nos da muchos deberes.

ANSWERS: Unit 10 - Describing my teachers and saying why I like them

Unit 10. Describing my teachers and saying why I like them: LISTENING

1. Tick or cross? Tick the words you hear in each sentence and cross the ones you don't

a. **arte** √   b. **ciencias** √   c. historia X   d. **teatro** √
e. **matemáticas** √   f. geografía X   g. **español** √   h. alemán X

2. Fill in the gaps

a. Me gusta el profe de **historia**
b. Me **gusta** la profe de matematicas
c. No me gusta **el** profe de tecnología
d. No me gusta el profe de **ciencias**
e. Me gusta la profe de **geografia**
f. Me gusta mucho la profe de **alemán**
g. Me gusta el profe de **arte**
h. Me gusta **bastante** la profe de español

3. Spot the intruder

a. Me gusta mucho el **la** profe de geografía porque es paciente
b. Me gusta **bastante** la profe de inglés porque es simpática
c. **No** me gusta el profe de alemán porque es paciente
d. Me gusta mucho el profe de arte porque es **muy** trabajador
e. Me gusta la profe de francés porque nunca **siempre** se enfada
f. No me gusta la profe de ciencias porque nos da muchos **pocos** deberes

4. Faulty translation: correct the wrong translations

a. I like the **Spanish** teacher
b. He never gets angry √
c. She gives us **little** homework
d. He never **shouts at** me
e. The art teacher helps me a lot √
f. My teacher **understands me**

5. Listen and write the Spanish translation next to each sentence

a. Me gusta mi profesor de alemán
b. (Ella) Nunca se enfada
c. (Él) Me comprende
d. (Él) Me ayuda
e. Me gusta mi profesor de ciencias
f. (Él) Es simpático
g. (Él) Es antipático
h. (Ella) Es trabajadora

6. Subjects & teachers: listen and tick the appropriate box

	Masculine	Feminine
a	√	
b		√
c		√
d		√
e	√	
f		√
g		√
h	√	

7. Gapped translation

I like my school **a lot**. My favourite subject is **maths** because the teacher is very **kind** and always gives us **little** homework. Furthermore, he is very **funny** and **helps me** a lot. I also like my **history** teacher because she is very kind and **patient** and **understands** me. She never **gets angry** and never **shouts** at me. However, I don't like my **science** teacher, because he is very strict and **unfriendly/mean**. He always **tells me off** and gives us **a lot** of homework.

8. Complete with the missing letter

a. La prof**e** de histori**a** es trabajador**a**
b. El prof**e** d**e** geografía es antipátic**o**
c. Me gust**a** la profe de c**i**encias porque es simpátic**a**
d. No me gust**a** la profe de **a**rte porque es estrict**a**
e. M**i** profe de inglés e**s** muy trabajado**r** y paciente
f. M**i** profe de educació**n** física es muy aburrid**o**
g. Me enca**n**ta la profe de f**r**ancés porque es graciosa
h. **N**o me gusta el **p**rofe de alemán porque es arrogante

9. Guess the next word, then listen to the track to see if you guessed right

a. La profe de ciencias es **inteligente**
b. El profe de historia es **aburrido**
c. El profe de inglés es **interesante**
d. La profe de arte es **graciosa**
e. La profe de geografía es un poco **antipática**
f. El profe de tecnología es **divertido**
g. La profe de música es **estricta**

10. Listen and fill in the grid

	Which subject?	Do they like/ dislike it?	Why? (2 details)
eg.	*French*	*Y*	*Teacher is funny and helps me a lot*
a.	History	N	Teacher is boring and always gets angry
b.	Spanish	Y	Teacher is interesting and patient
c.	Geography	Y	Teacher does not give a lot of homework & nice
d.	English	Y	Teacher is friendly and hard working
e.	Art	N	Teacher doesn't' understand me & tells me off
f.	Music	Y	Teacher is funny and interesting
g.	PE	Y	Teacher listens to me and gives little homework

11. Listening slalom: follow the speaker from top to bottom and number the boxes accordingly

a	b	c	d
a. Me gusta	b. No me gusta	c. Me encanta	d. Me gusta mucho
c. el profe de inglés	**a. La profe de historia**	b. la profe de ciencias	d. La profe de español
d. porque es graciosa	b. porque es antipática	**a. porque es simpática**	c. porque es muy gracioso
d. e interesante.	c. y trabajador.	b. y perezosa	**a. y paciente.**
c. Es muy paciente	d. No nos da	**a. Ella me comprende**	b. y nunca
d. muchos deberes	c. y nunca me chilla.	b. Me ayuda	**a. y siempre me ayuda.**

Unit 10. Describing my teachers: VOCABULARY BUILDING

1. Match

Es interesante – He is interesting   **Es paciente** – He is patient   **Es inteligente** – He is intelligent
Es trabajador – He is hard–working   **Es simpático** – He is nice   **Es antipático** – He is mean
Es gracioso – He is funny   **Es divertido** – He is fun   **Es aburrido** – He is boring

2. Translate into English

a. I like   b. The history teacher   c. I love   d. She is mean   e. He is nice   f. He/She shouts at me
g. He/She gives us a lot of homework   h. She is funny   i. He/She helps me   j. Always

3. Break the flow

a. Me gusta la profe de ciencias porque es muy trabajadora
b. No me gusta la profe de inglés porque es muy estricta
c. No me gusta el profe de matemáticas porque siempre nos da muchos deberes
d. Me encanta la profe de música porque nunca se enfada
e. Me gusta el profe de educación física porque siempre está de buen humor
f. No me gusta el profe de francés porque es aburrido
g. Me encanta la profe de tecnología porque es graciosa
h. Me gusta mucho el profe de español porque es divertido

4. Faulty translation

a. El profe de alemán: *The **German** teacher*   b. Me gusta mucho: *I like him/her **a lot***   c. Me encanta: *I **love** him/her*
d. El profe de arte: *The **art** teacher*   e. Nos da muchos deberes: *He gives us **a lot of** homework*
f. Siempre me ayuda: He/*She always **helps me***   g. No me comprende: *He/She **doesnt** understands me*
h. Nunca se enfada: *He **never** gets angry*   i. Es aburrida: *She is **boring***   j. Es graciosa: ***She** is funny*

5. Complete the table

Español	English
Aburrido	*Boring*
Divertido	*Fun*
Gracioso	*Funny*
Interesante	*Interesting*
Simpático	*Friendly*
Antipático	*Mean*
Paciente	*Patient*
Trabajador	*Hard–working*

6. Gapped Spanish to English translation

a. Me gusta la profe de ciencias: *I like the **science** teacher*
b. Es muy estricta: *She is very **strict***
c. Siempre nos da muchos deberes: *He always gives us **a lot of** homework*
d. Me encanta la profe de música: *I **love** the music teacher*
e. Nunca está de buen humor: *He is **never** in a good mood*
f. No me gusta el profe porque es aburrido: *I don't like the teacher because he is **boring***
g. Me encanta la profe porque es graciosa: *I love the teacher because she is **funny***
h. Me gusta mucho porque es divertido: *I like him a lot because he is **fun***

7. Complete with the correct option

a. Me gusta la profe de **ciencias** porque es muy trabajadora.
b. No me gusta la profe de inglés porque es muy **estricta.**
c. No me gusta el profe de matemáticas porque nos **da** muchos deberes.
d. Me **encanta** la profe de música porque nunca se enfada.
e. Me gusta el **profe** de educación física porque está siempre de buen humor.
f. No me gusta el profe de francés porque es **aburrido.**
g. Me gusta mucho el profe de español **porque** es divertido.

8. Sentence puzzle

a. La profe es simpática   b. El profe es antipático   c. Me gusta la profe   d. El profe de inglés
e. La profe de francés   f. La profe es graciosa   g. El profe es divertido

9. Anagrams

a. Profe   b. Antipático   c. Divertido   d. Me chilla   e. De buen humor   f. Muchos deberes

10. Choose the correct word

a. La profe de **ciencias**
b. El profe es **aburrida**
c. Siempre se **enfada**
d. Está de buen **humor**
e. El profe es **muy** divertido
f. Me gusta la profe porque es **simpática**
g. No me gusta la profe porque es **paciente**
h. Me gusta **mucho** el profe de español

Unit 10. Describing my teachers: READING

1. Find the Spanish for the following in Marta's text

a. Bueno   b. Asignaturas   c. Gracioso   d. Deberes   e. También   f. Me ayuda   g. Cuando   h. En cambio
i. Antipática   j. Me chilla   k. Se enfada

2. Complete the statements below based on José's text

a. I study **many** subjects
b. I **only** like history and geography
c. The history teacher always **helps me** when I **don't understand something**
d. The science teacher is **boring** and **always shouts**
e. Neither do I like maths because the teacher is very **strict** and **gets angry** easily.

3. Correct the incorrect statements about Roberto's text

a. Roberto ~~only~~ likes English, science and history   b. The history teacher is **fun**   c. Correct
d. The English teacher is **kind**   e. The history teacher **never shouts**

4. Find someone who…

a. José   b. Roberto   c. Marta   d. José   e. Marta   f. Roberto   g. Roberto   h. Marta   i. José   j. José   k. Marta

Unit 10. Describing my teachers: WRITING

1. Translate into Spanish

a. Simpática   b. Gracioso   c. Antipática   d. Aburrido   e. Interesante   f. Paciente   g. Divertida

2. Complete with a suitable word

a. Me encanta la **profe** de ciencias   b. La profe de matemáticas **es** graciosa   c. Me **gusta** porque es simpático
d. **No** me gusta porque es impaciente   e. Me gusta mucho el profe de **español**
f. No me gusta **porque** es muy antipático   g. La profe de inglés es **muy** divertida
h. **El** profe de arte es muy aburrido

3. Broken words

a. La pro**fe** de cien**cias**
b. Es diver**tida**
c. Me chi**lla**
d. Se enf**ada**

e. Es aburr**ida**
f. Es grac**iosa**
g. La **pro**fe de fran**cés**
h. Es muy inte**ligente**

i. Nos **da** pocos debe**res**
j. Nos **da** mucho**s** debe**res**
k. El profe es pac**iente**
l. Siemp**re** me ayu**da**

4. Complete the table

Masculine	Feminine
Aburrido	Aburrida
Divertido	Divertida
Gracioso	Graciosa
Paciente	Paciente
Interesante	Interesante
Trabajador	Trabajadora
Inteligente	Inteligente

5. Spot and add in the missing word

a. La profe **de** ciencias   b. Me gusta la profe de arte porque **es** divertida   c. No **me** gusta el profe de educación física
d. **El** profe de matemáticas es muy aburrido   e. El profe de francés siempre **se** enfada
f. Me encanta la profe de alemán porque **es** simpática   g. El profe de ciencias nos **da** muchos deberes

6. Tangled translation: into Spanish

a. No me **gusta** la profe **de francés**   b. Me **encanta el profe** de **inglés**   c. **Nos da muchos** deberes
d. El profe de ciencias **es paciente**   e. Nos **da pocos** deberes   f. El **profesor de matemáticas** es muy **gracioso**
g. La profe de **español** me **chilla**   h. **El profe** (m) siempre **se enfada**

7. Translate into Spanish

a. No me gusta la profe de ciencias porque es aburrida   b. El profe de francés nos da muchos deberes
c. El profe de alemán siempre me ayuda   d. El profe de matemáticas siempre se enfada
e. El profe de arte es gracioso y me comprende   f. El profe de gimnasia es divertido y nos da pocos deberes
g. El profe de música es antipático e impaciente   h. El profe de inglés es interesante y trabajador

TERM 2 – BRINGING IT ALL TOGETHER – 10

1. Find the Spanish equivalent for the following in paragraphs 1 to 4

a. Soy de Inglaterra   b. Somos   c. Mi hermano mayor   d. Más estricto   e. Se llaman   f. Son cariñosos
g. Pasar tiempo   h. Le gusta tocar   i. Fuerte

2. Complete the following translation of paragraph 5

My **younger** sister is more artistic than my brother. She has **green** eyes and **curly** hair. She enjoys **painting** and dancing hip hop. At school, her favourite subject is **IT** because it is **useful** for the future. She doesn't like maths because it is a bit complicated and **boring**.

3. Answer the following questions about paragraph 6

a. In her neighbourhood   b. Because the teachers are very good   c. They are good and understanding
d. Because she can explore melodies and write songs   e. Science, because she learns a lot

4. Translate the following phrases taken from paragraphs 6 and 7

a. They are understanding   b. They help us   c. To write songs   d. I learn a lot   e. He/she tells me off
f. He/she helps me   g. In a good mood   h. However   i. I don't get on well   j. Shouts at me

5. Find someone who…

a. Álvaro   b. Dante   c. Romina   d. Diego   e. Pilar   f. Álvaro   g. Diego   h. The music teacher   i. Pilar

6. Find the Spanish in paragraph 4

a. Más baja   b. Pelo liso   c. Comprar ropa   d. Muy buena   e. Dice que   f. Es aburrido

7. Correct the errors in the following translation of paragraph 5

I go to a very **big** school in my city. **My** school is very good because the teachers are very intelligent, **fun** and **hard-working**. They always **help** me if I don't understand something. I **love** the English class because I **like** to **read** and to write stories. My favourite **subject** is music because the teacher is very **fun** and always **helps** me. She is my favourite teacher.

8. Find out the 4 words on the list below, which are not included in paragraph 6

a. Is   e. **Also**   i. A lot
b. **But**   f. Always   j. My
c. However   g. **Never**   k. In
d. With   h. That   l. **For**

TRANSCRIPTS: Unit 11 – Saying what I and others do in our free time

1. Complete with JUEGO , HAGO or VOY

a. **Juego** al ajedrez. b. **Hago** pesas. c. **Juego** a las cartas. d. **Hago** escalada.
e. **Voy** a la piscina. f. **Voy** de marcha. g. **Voy** a casa de mi amigo. h. **Juego** con mis amigos.

2. Complete with the missing syllables

a. Juego a los videojuegos. b. Hago senderis**mo**. c. Voy al polideporti**vo**. d. Voy de mar**cha**.
e. Hago ciclis**mo**. f. Voy a la monta**ña**. g. **Jue**go al tenis. h. Voy a la pla**ya**.
i. Voy al par**que**. j. Hago nata**ción**.

3. Listening for detail: what activities does Amparo do each day? Tick the correct one

a. Hola, me llamo Amparo. Los lunes hago ciclismo con mi amiga Andrea.
b. Los martes hago natación en la piscina.
c. Los miércoles voy al gimnasio con mi amigo Gianfranco.
d. Los jueves me quedo en casa y hago mis deberes.
e. Los viernes juego al ajedrez en mi colegio.
f. Los sábados hago ciclismo en la montaña
g. …y los domingos voy de pesca con mi abuelo Jaime.

4. Spot the intruder

Me llamo Tomás Weidner. Soy ~~un~~ alemán. Soy ~~muy~~ deportista. En mi tiempo libre hago ~~mucho~~ deporte. Mi deporte preferido es la escalada ~~libre~~. Hago escalada ~~casi~~ todos los días. Cuando hace mal tiempo ~~por lo general~~ me quedo en casa y juego al ajedrez o ~~juego~~ a las cartas con mi hermano ~~menor~~. También me gusta ~~mucho~~ hacer natación. Hago ~~la~~ natación ~~casi~~ todos los fines de semana en la piscina ~~cerca~~ de mi casa.

5. Faulty translation: correct the translation

a. Me llamo Laura. Tengo el **pelo moreno** y soy muy **inteligente** y habladora.
b. No soy muy deportista. Prefiero ver **la tele**, jugar al ajedrez, jugar a las cartas e ir **al parque**.
c. Cuando hace buen tiempo, me gusta ir **de pesca** y de vez en cuando…
d. …voy al **centro comercial** con mi **madre**. **Nunca** voy al gimnasio.
e. Es muy aburrido en mi opinión. Prefiero hacer **ciclismo**.

6. Listen to Dylan talk about his friends and fill in the grid below - in English

a. Hola, soy **Dylan** y voy a hablar de mis amigos. Mi amigo **Chris** tiene 10 años. Es alto y gracioso. Su comida favorita es pollo con patatas fritas. Siempre lleva ~~un~~ chándal, es su ropa favorita. Su deporte favorito es el fútbol y lo practica cada fin de semana.
b. Mi amigo **Aaron** tiene 15 años. Es bajo y muy perezoso. Su comida favorita es ensalada de tomates con pescado. Siempre lleva una camiseta blanca. Su deporte favorito es el baloncesto y lo hace todos los lunes.
c. Mi amigo **Arnoud** tiene 12 años. Es muy alto y fuerte. Lo que más le gusta comer es patatas fritas con mayonesa. Normalmente lleva zapatos rojos. Son sus favoritos. Su deporte favorito es la equitación y lo hace todos los días.
d. Mi amigo **Nico** tiene 14 años. Es un poco gordo y muy trabajador. Su comida favorita son hamburguesas y bistecs. Siempre lleva un sombrero amarillo; es su favorito. No hace deporte pero su actividad favorita es hablar con sus amigos y lo hace mucho… muchísimo

7. Narrow listening: gapped translation

Mi nombre es **Jaime** y tengo **17** años. Soy **español** y canario. No soy un tipo de **pájaro**, soy alguien de las hermosas **Islas Canarias**. Vivo allí con mis **padres**, dos **hermanos** y una **hermana**. Mis padres son muy **amables** y **generosos**. Mis hermanos son muy **molestos** y mi hermana es **graciosa** y **servicial**. Mis comidas favoritas son el **pollo** y el **arroz**. También como **ensalada** muy a menudo. En mi tiempo libre hago mucho **deporte**. Juego al **tenis** en el cole **todos los días**. A menudo hago **pesas** en el gimnasio cerca de mi casa. Tres veces a la semana voy **de pesca** y de vez en cuando voy **al cine** con mis hermanos. Además del deporte, también **toco la guitarra** y voy a **clases de guitarra** una vez por semana. Me encanta la **música**. ¡Adiós!

ANSWERS: Unit 11 – Saying what I and others do in our free time

Unit 11. Saying what I and others do in our free time: LISTENING

1. Complete with JUEGO , HAGO or VOY

a. **Juego** al ajedrez b. **Hago** pesas c. **Juego** a las cartas
d. **Hago** escalada e. **Voy** a la piscina f. **Voy** de marcha
g. **Voy** a casa de mi amigo h. **Juego** con mis amigos

2. Complete with the missing syllables

a. Juego a los videojue**gos** b. Hago senderis**mo** c. Voy al polideporti**vo** d. Voy de mar**cha**
e. Hago ciclis**mo** f. Voy a la monta**ña** g. **Jue**go al tenis h. Voy a la pla**ya**
i. Voy al par**que** j. Hago nata**ción**

3. Listening for detail: what activities does Amparo do each day? Tick the correct one

a. Monday: Cycling
b. Tuesday: Swimming
c. Wednesday: Going to the gym
d. Thursday: Homework
e. Friday: Chess
f. Saturday: Bike riding
g. Sunday: Fishing

4. Spot the intruder

Me llamo Tomás Weidner. Soy ~~un~~ alemán. Soy ~~muy~~ deportista. En mi tiempo libre hago ~~mucho~~ deporte. Mi deporte preferido es la escalada ~~libre~~. Hago escalada ~~casi~~ todos los días. Cuando hace mal tiempo ~~por lo general~~ me quedo en casa y juego al ajedrez o ~~juego~~ a las cartas con mi hermano ~~menor~~. También me gusta ~~mucho~~ hacer natación. Hago ~~la~~ natación ~~casi~~ todos los fines de semana en la piscina ~~cerca~~ de mi casa.

5. Faulty translation

a. My name is Laura. I am **dark haired** and am very **intelligent** and talkative.
b. I am not very sporty. I prefer to **watch TV**, to play chess, play cards and go **to the park**.
c. When the weather is nice I like going **fishing** and from time to time…
d. I go to the **shopping centre** with my **mother**. **I never** go to the gym.
e. It is very boring in my opinion. I prefer to go **biking**.

6. Listen to Dylan talk about his friends and fill in the grid below - in English

	Name	Age	Description	Favourite food	Favourite clothes	Favourite activity	How often they practise
a.	**Chris**	10	Tall + funny	Chicken + chips	Tracksuit	Football	Every the weekend
b.	**Aaron**	15	Short + lazy	Tomato salad + fish	White t-shirt	Basketball	On Mondays
c.	**Arnoud**	12	Very tall + strong	Chips with mayonnaise	Red shoes	Horseriding	Every day
d.	**Nico**	14	Bit chubby + very hard-working	Burgers + steak	Yellow hat	Talking with his friends	A lot

7. Narrow listening: gapped translation

My name is **Jaime** and I am **17** years old. I am **Spanish** and I am a Canarian. I am not a kind of **bird**, I am someone from the beautiful **Canary Islands**. I live there with my **parents**, two **brothers** and one **sister**. My parents are very **kind** and **generous**. My brothers are very **annoying** and my sister is **funny and** helpful. My favourite foods are **chicken** and **rice**. I also eat **salad** very often. In my free time I do a lot of **sport**. I play **tennis** at school **every day**. I often do **weights** at the gym near my house. Three times a week I **go fishing** and from time to time I go to **the cinema** with my brothers. Besides sport, I also play **guitar** and go to **guitar class** once a week. I love **music**. Goodbye!

Unit 11. Free time: VOCABULARY BUILDING

1. Match

Juego al ajedrez – I play chess   **Hago footing** – I go jogging   **Hago equitación** – I go horse-riding
Juego a las cartas – I play cards   **Voy en bici** – I go biking   **Hago natación** – I go swimming
Hago senderismo – I go hiking   **Juego al baloncesto** – I play basketball

2. Complete with the missing word

a. Mi amiga juega al **ajedrez**   b. **Hago** equitación   c. **Juego** a las cartas   d. Mi amigo va en **bici**
e. Juego al **baloncesto**   f. Voy de **pesca** g. Mi amigo hace **senderismo**   h. Hago **escalada**   i. Hago **footing**
j. Hago los **deberes**

3. Translate into English

a. My friend goes biking every day   b. My friend often goes hiking   c. I go rock-climbing twice a week
d. I hardly ever go horse-riding   e. When the weather is bad I play cards or chess   f. I often play basketball
g. I rarely go clubbing   h. I go to my friend's house often   i. I go to the beach everyday   j. I go fishing once a week
k. I play golf when there is nice weather

4. Broken words

a. Mi amigo hace eq**uitación**   b. Hago na**tación**   c. Voy de pe**sca**   d. Mi amigo va en bi**ci**   e. Juego al aj**edrez**
f. Voy de ma**rcha**   g. Mi amigo juega a las ca**rtas**   h. Hago esc**alada**

5. 'Voy', 'Juego' or 'Hago'?

a. **Juego** al baloncesto   b. **Voy** en bici   c. **Juego** al ajedrez   d. **Juego** a las cartas   e. **Hago** natación
f. **Voy** de marcha   g. **Juego** al tenis   h. **Hago** pesas   i. **Hago** escalada

6. Bad translation – spot any translation errors and fix them

a. I ~~often~~ **never** go clubbing   b. I play ~~chess~~ **cards** often   c. I go ~~swimming~~ **rock-climbing** rarely
d. When the weather is nice my friend goes ~~hiking~~ **jogging**   e. I go biking ~~every day~~ **once a week**
f. I hardly ever play ~~cards~~ **chess**   g. I ~~never~~ **often** go hiking   h. I go swimming ~~from time to time~~ **often**

Unit 11. Free time: READING

1. Find the Spanish for the following in Thomas' text

a. hago mucho deporte   b. mi deporte favorito   c. escalada   d. todos los días   e. cuando hace mal tiempo
f. juego al ajedrez   g. también   h. juego a la Play

2. Find the Spanish for the following in Jean's text

a. me encanta ir en bici   b. con mis amigos   c. a veces   d. hago natación   e. voy de marcha   f. hago escalada
g. con mi amigo, Julien

3. Complete the following statements about Verónica

a. She is from **Barbastro**   b. She is not very **sporty**   c. She plays videogames and **chess**   d. When the weather is nice
she goes **jogging**   e. She also plays tennis with her **brother**   f. She doesn't enjoy the gym nor the **swimming pool**

4. List 8 details about Olga (accept answers in any order)

1. She is from Cyprus   2. She likes reading books and newspapers   3. She likes playing cards   4. She is not very sporty   5. She goes to the gym sometimes   6. She does weight-lifting   7. She goes hiking when the weather is nice   8. Her dog is called Buddy (it is a sausage dog)

5. Find someone who…

a. Olga   b. Verónica   c. Thomas   d. Olga   e. Jean

Unit 11. Free time: TRANSLATION

1. Gapped translation

a. **Nunca voy de marcha** – I **never** go clubbing
b. **Juego a la Play a menudo** – I often play **Playstation**
c. **No juego al tenis casi nunca** – I **hardly ever** play tennis
d. Mi amigo juega al **ajedrez** – **My friend plays chess**
e. Juego a las **cartas** – **I play cards**
f. **A veces voy en bici** – **Sometimes** I go cycling
g. **Mi amigo nunca hace pesas** – My friend never does **weight-lifting**
h. Cuando hace **buen** tiempo hago footing – **When the weather is nice, I go jogging**

2. Translate to English

a. hardly ever   b. sometimes   c. when the weather is bad   d. to my friend's house   e. never   f. every day
g. I go rock-climbing   h. My friend goes clubbing   i. I go fishing

3. Translate into English

a. I never go fishing with my dad   b. I play cards with my brother   c. I go hiking with my dad
d. I play chess with my best friend   e. I hardly ever play the PlayStation with my brother
f. I go clubbing every Saturday

4. Translate into Spanish

a. bici   b. escalada   c. baloncesto   d. pesca   e. pesas   f. videojuegos   g. ajedrez   h. cartas   i. senderismo   j. footing

5. Translate into Spanish

a. hago footing   b. mi amigo/a juega al ajedrez   c. hago escalada   d. hago natación   e. hago equitación
f. mi amigo hace pesas   g. voy de marcha   h. juego a videojuegos   i. mi amigo/a hace ciclismo   j. hago senderismo

Unit 11. Free time: WRITING

1. Split sentences

Nunca **hago escalada**   Juego al ajedrez a **menudo**   Voy a casa **de mi amigo Paco**   Hago footing en **el parque**
Mi amigo **juega a las cartas**   Hago mucho **deporte**   Mi amigo va **en bici**   Hago pesas en el **gimnasio**

2. Complete the sentences

a. Nunca **hago** footing   b. A veces **juego** al ajedrez   c. **Hago** escalada de vez en cuando
d. Mi amiga **hace** equitación a menudo   e. Juego al tenis **todos los** días   f. Voy a **casa** de mi amigo
g. En mi **tiempo** libre   h. Hago **pesas** en el gimnasio   i. Mi amigo **hace** los deberes

3. Spot and correct mistakes [note: in some cases a word is missing]

a. Mi amigo juega **al** tenis   b. Juego **al** ajedrez   c. Voy a casa **de** mi amigo   d. Casi nunca voy **en** bici
e. **Hago** mis deberes   f. **Hago** natación   g. Mi amigo ha**ce** pesas

4. Complete the words

a. Aje**drez**   b. Balon**cesto**   c. Sende**rismo**   d. Video**juegos**   e. Equi**tación**   f. Nun**ca**   g. A men**udo**

5. Write a paragraph for each of the people below in the first person singular (I):

Juanita: Me llamo Juanita. Hago senderismo cada día con mi novio en el campo y me gusta porque es divertido.
Dylan: Me llamo Dylan y hago pesas a menudo con mi amigo James en casa y me gusta porque es sano.
Alejo: Me llamo Alejo y hago footing cuando hace buen tiempo solo en el parque. Me gusta porque es relajante.

TERM 2 – BRINGING IT ALL TOGETHER – 11

1. Answer the following questions in English

a. Irlanda   b. Because she is more calm than his father   c. 72 and 69   d. Dark brown hair
e. Because it's boring and he doesn't know if it's going to be useful for the future
f. Because the teachers are good   g. Music, because he likes writing songs and singing
h. Climbing, he does it every day   i. Swimming is exhausting but fun

2. Find the Spanish equivalent for the following in Liam's text

a. Pero ahora vivo   b. Somos   c. Son muy cariñosos   d. Es muy talentoso   e. Tiene el pelo oscuro
f. No sé   g. Los profesores son muy buenos   h. Me encanta aprender sobre   i. Siempre me ayuda en las clases
j. En mi tiempo libre   k. Cuando hace mal tiempo   l. A veces hago footing   m. La natación es agotadora

3. Complete the translation of paragraph 6 below

In my free time I do a lot of **sport** My favourite sport is **climbing**. I go **climbing** every day. When **the weather is bad** I stay at home and I play videogames or **cards**. I also **like a lot** to play Playstation with my friends. When the **weather** is **good**, sometimes I go **jogging** in the park in my **neighbourhood** or I play tennis with my **brother** Noel. **Furthermore**, I enjoy going to the **gym** and to the **swimming pool**. Swimming is **exhausting** but very **fun**.

4. Answer the following questions about PARAGRAPHS 1 and 2 in Spanish as if you were Damian

a. Me llamo Damian   b. Tengo doce años   c. Soy de Inglaterra   d. Vivo en Valencia   e. Vivo con mi familia
f. Estoy regular   g. En mi familia hay tres personas   h. Mi madre
i. Mi abuelo tiene setenta y siete años y mi abuela tiene sesenta y ocho años   j. Mi abuelo

5. Translate the following words from paragraphs 3 and 4

a. Better
b. To go
c. To do
d. His
e. Also
f. He has
g. The same

h. More
i. Subject
j. To paint
k. However
l. Boring
m. Truth
n. That

6. Correct the following statements about Damian, based on paragraph 5

a. Los profesores de Damian **son excelentes**   b. Los profesores de Damian **siempre** lo escuchan
c. A Damian **le encanta** el inglés   d. Su asignatura favorita es la **historia**
e. Su profesora de historia es muy **divertida**   f. Su profesora de historia le da **muchos** deberes

7. Find the Spanish equivalents in the paragraphs 5 and 6

a. I read: **Leo**
b. Group: **Grupo**
c. Also: **También**
d. Weather: **Tiempo**
e. Comics: **Tebeos**

f. To sing: **Cantar**
g. Good: **Buen**
h. Team: **Equipo**
i. Films: **Películas**
j. I see: **Veo**

TRANSCRIPTS:
TERM 2 - BRINGING IT ALL TOGETHER – QUESTION SKILLS

1. Fill in the missing words

a. ¿**Cuántas** personas hay en tu familia?   b. ¿**Con quién** te llevas bien en tu familia?

c. ¿**Te llevas mal** con alguien? ¿**Por qué**?   d. ¿**Cómo** te llevas con tu padre?   e. ¿**Cuántos** años tiene tu hermano?

f. ¿**Cómo** es tu hermano?   g. ¿**Cuándo** es su cumpleaños?   h. ¿**Te gusta** tu profe de inglés? ¿**Por qué**?

i. ¿**Cuál** es tu profesor favorito?   j. ¿**Hay algún** profesor que no te gusta?

k. ¿**Qué** profesor te ayuda siempre?   l. ¿**Cuál** es tu asignatura favorita?   m. ¿**Qué haces** en tu tiempo libre?

n. ¿**Qué** deportes haces?   o. ¿**Qué haces** cuando hace mal tiempo?

2. Listen and choose the option that you hear

a. En mi familia hay **cuatro** personas   b. Me llevo mejor con mi **madre**

c. A veces no me llevo bien con mi **hermano**   d. Me llevo **muy bien** con mi padre

e. Mi hermano tiene **nueve** años   f. Es bastante **alto**, tiene el pelo rubio

g. Su cumpleaños es el diecinueve de **marzo**   h. Sí, me gusta **mucho**

i. Mi profesor favorito es el profesor de **historia**   j. No me gusta mucho mi profesora de **inglés**

k. Mi profesor de **tecnología**   l. Me encantan las **ciencias**   m. Voy a casa de mi mejor **amigo**

n. Hago **equitación**   o. **Me quedo en casa**

3. Listen and write in the missing information

a. En mi **familia** hay **cuatro** personas, mis **padres**, mi **hermano** pequeño y yo

b. Me **llevo** mejor con mi **madre** porque es muy **comprensiva**

c. A veces no me **llevo** bien con mi **hermano** porque es un poco **molesto**

d. Me llevo **muy bien** con mi **padre** porque es muy **simpático**

e. Mi **hermano** tiene **nueve** años

f. Es bastante **alto**, tiene el pelo **rubio** y los ojos **azules**

g. Su **cumpleaños** es el **diecinueve** de **marzo**

h. **Sí**, me gusta **mucho** porque **explica** las **cosas** muy **bien**

i. Mi profesor **favorito** es el profesor de **historia** porque es muy **gracioso**

j. No me **gusta** mucho mi profesora de **matemáticas** porque es demasiado **estricta**

k. Mi profesor de **tecnología** siempre me **ayuda** mucho

l. Me **encantan** las **ciencias** porque **son** muy útiles para el **futuro**

m. En mi tiempo **libre**, voy a **casa** de mi mejor **amigo** y jugamos a **videojuegos** en línea

n. Hago **natación** y juego al **baloncesto**, y a veces juego al **tenis**

o. Cuando hace **mal** tiempo, me **quedo** en casa y **veo** una serie o **leo** un libro

TERM 2 – BRINGING IT ALL TOGETHER – QUESTION SKILLS

1. Fill in the missing question words

a. ¿**Cuántas** personas hay en tu familia?   b. ¿**Con quién** te llevas bien en tu familia?

c. ¿**Te llevas mal** con alguien? ¿**Con quién**?   d. ¿**Cómo** te llevas con tu padre?

e. ¿**Cuántos** años tiene tu hermano?   f. ¿**Cómo** es tu hermano?   g. ¿**Cuándo** es su cumpleaños?

h. ¿**Te gusta** tu profe de inglés? ¿**Por qué**?   i. ¿**Quién** es tu profesor favorito?

j. ¿**Hay algún** profesor que no te gusta?   k. ¿**Qué** profesor te ayuda siempre?

l. ¿**Cuál** es tu asignatura favorita?   m. ¿**Qué haces** en tu tiempo libre?   n. ¿**Qué** deportes haces?

o. ¿**Qué haces** cuando hace mal tiempo?

2. Listen and choose the option that you hear

a. En mi familia hay **cuatro** personas   b. Me llevo mejor con mi **madre**

c. A veces no me llevo bien con mi **hermano**   d. Me llevo **muy bien** con mi padre

e. Mi hermano tiene **nueve** años   f. Es bastante **alto**, tiene el pelo rubio

g. Su cumpleaños es el diecinueve de **marzo**   h. Sí, me gusta **mucho**

i. Mi profesor favorito es el profesor de **historia**   j. No me gusta mucho mi profesora de **inglés**

k. Mi profesor de **tecnología**   l. Me encantan las **ciencias**   m. Voy a casa de mi mejor **amigo**

n. Hago **natación**   o. **Me quedo en casa**

3. Listen and write in the missing information to the questions for exercise 1

a. En mi **familia** hay **cuatro** personas, mis **padres**, mi **hermano** pequeño y yo

b. Me **llevo** mejor con mi **madre** porque es muy **comprensiva**

c. A veces no me **llevo** bien con mi **hermano** porque es un poco **molesto**

d. Me llevo **muy bien** con mi **padre** porque es muy **simpático**

e. Mi **hermano** tiene **nueve** años

f. Es bastante **alto**, tiene el pelo **rubio** y los ojos **azules**

g. Su **cumpleaños** es el **diecinueve** de **marzo**

h. **Sí**, me gusta **mucho** porque **explica** las **cosas** muy **bien**

i. Mi profesor **favorito** es el profesor de **historia** porque es muy **gracioso**

j. No me **gusta** mucho mi profesora de **matemáticas** porque es demasiado **estricta**

k. Mi profesor de **tecnología** siempre me **ayuda** mucho

l. Me **encantan** las **ciencias** porque **son** muy útiles para el **futuro**

m. En mi tiempo **libre**, voy a **casa** de mi mejor **amigo** y jugamos a **videojuegos** en línea

n. Hago **natación** y juego al **baloncesto**, y a veces juego al **tenis** o. Cuando hace **mal** tiempo, me **quedo** en casa y **veo** una serie o **leo** un libro

TERM 3

TRANSCRIPTS: Unit 12 - Talking about my daily routine

1. Listen and fill in the gaps

a. Son las seis y **cuarto.**

b. Es la **una.**

c. Son las siete y **media.**

d. Me levanto a eso de las **seis.**

e. Salgo de casa a las **seis** y media.

f. Voy al colegio a las siete **menos** cuarto.

g. Almuerzo a **mediodía.**

h. Hago mis deberes a **eso** de las cinco.

i. Me acuesto a eso de **las** nueve.

2. Multiple choice quiz: daily routine times

a. Me despierto todos los días a las 7:00 a. m.

b. Tengo el recreo a las 10:10 a. m.

c. Salgo del colegio a las 3:45 p. m.

d. Veo la tele a las 5.45 p. m.

e. Charlo con mis amigos a las 10:25 a. m.

f. Las clases terminan a las 2:30 p. m.

g. Tomo el autobús a las 2:35 p. m.

h. Mi padre se acuesta a medianoche

i. Mi amigo se levanta a las 7:50 a. m.

j. Mi amigo sale de casa a las 7:45 a. m.

3. Spot the differences and correct your text

a. Me llamo Federíco. Soy **español.** Siempre me **levanto** a eso de las seis y media.

b. Luego me ducho y me **peino** enseguida.

c. No desayuno **mucho** por la mañana, pero mi hermano Valerio desayuna cereales en el **comedor.**

d. Voy al colegio **a pie** a eso de las siete y cuarto.

e. Vuelvo a casa a eso de las **tres y media** y luego me relajo un poco.

f. Por lo general, **escucho música** en el salón.

g. Luego **me meto** en internet, veo una serie en Netflix o veo videos de TikTok en mi **dormitorio.**

h. Luego, a las **siete**, preparo la comida con mi madre en la cocina.

i. Me encanta preparar **pasteles** porque son **deliciosos.**

j. Me acuesto tarde, a eso de las **doce.**

4. Listen and note down in English what Carmen does at each time

Hola, soy Carmen. Todos los días, a las 6:30 me ducho. Luego voy al cole en bicicleta a las 7:15. Mi primera clase empieza a las 8:00. A las 9:15, durante el recreo, como un bocadillo. Después del colegio, a las 3:30, juego al baloncesto con mis amigos. A las 3.45 vuelvo a casa y a las 4:00 hago mis deberes en mi dormitorio. Luego a las 6.30 voy al gimnasio. Finalmente, a las 10:00 veo la televisión, y luego me acuesto a las 11:00.

5. Listening slalom: follow the speaker and number the boxes accordingly

a. Me llamo Myriam. Me despierto. Luego me levanto. Después me ducho y luego salgo de casa. Finalmente, mi padre me lleva al colegio en coche.

b. Me llamo René. Me levanto, luego desayuno. Después me visto y luego me peino. Finalmente hago mis deberes.

c. Me llamo Paloma. Me ducho, luego voy al gimnasio. Después preparo mi mochila y luego salgo de casa. Finalmente voy al colegio.

d. Salgo del colegio, luego me visto. Después vuelvo a casa y luego descanso un poco. Finalmente me visto.

6. Narrow listening: gapped translation

Me llamo Valentina. Tengo **12** años. Soy de **Toledo.** Mi rutina diaria es muy **simple.** En general, me levanto **temprano**, a eso de las cinco y media. Luego me ducho y me pongo el uniforme. **Después**, desayuno con mis hermanos. Luego me **lavo los dientes** y preparo mi **mochila.** A eso de las siete y **cuarto** salgo de casa y voy al colegio. **Vuelvo** a casa a eso de las cuatro. Entonces descanso **un poco.** Generalmente leo mis tebeos **favoritos.** De seis a **siete** hago mis deberes. Luego, a las ocho, **ceno.** No como **carne.** Después, leo un **libro** o me meto en **Internet.** Luego **me acuesto** a las diez y treinta y cinco.

7. Fill in the grid: What do the different people do?

a. ¡Hola! Me llamo **Verónica** y vivo en el campo. Todos los días a las 7:30 me ducho. Luego salgo de casa y voy al colegio en bicicleta, a las 8:15. A mediodía almuerzo pollo con patatas fritas. Más tarde, de 3 a 4 juego al baloncesto con mis amigos. A las 6 hago mis deberes y luego a las 8:30 me meto en Internet para ver Tiktoks de gente bailando.

b. **Mi madre** prepara el desayuno a las 7:30 y luego va al trabajo a las 8:15. A mediodía ella come una ensalada. A las 3 vuelve a casa a caballo. Luego va al polideportivo a las 6. Finalmente, a las 8:30 descansa viendo una serie en Netflix.

c. **Mi padre** se despierta a las 7 y se afeita a las 7:30. Llega al trabajo pronto, a las 8:15. A mediodía come un bistec con verduras. De 3 a 4 está en la oficina. Luego a las 6 vuelve a casa en autobús. Antes de dormir, de 8:30 a 11 ve vídeos en Youtube.

d. **Mi hermana** se levanta a las 7:15 y se viste a las 7:30. Luego va a la universidad a las 8:15. Estudia ciencias. A mediodía va al gimnasio. Luego a las 3 va a su clase de biología. De 6 a 8 juega en su ordenador y un poco más tarde, a las 8:30 charla con su amigo, Felipe.

ANSWERS: Unit 12 - Talking about my daily routine

Unit 12. Talking about my daily routine: LISTENING

1. Listen and fill in the gaps

a. Son las seis y **cuarto**

b. Es la **una**

c. Son las siete y **media**

d. Me levanto a eso de las **seis**

e. Salgo de casa a las **seis** y media

f. Voy al colegio a las siete **menos** cuarto

g. Almuerzo a **mediodía**

h. Hago mis deberes a **eso** de las cinco

i. Me acuesto a eso de **las** nueve

2. Multiple choice quiz: daily routine times

a. 7:00 am	b. 10:10 am	c. 3:45 pm	d. 5:45 pm	e. 10:25 am
f. 2:30 pm	g. 2:35 pm	h. 12 am	i. 7:50 am	j. 7:45 am

3. Spot the differences and correct your text

a. Me llamo Federíco. Soy **español**. Siempre me **levanto** a eso de las seis y media.

b. Luego me ducho y me **peino** enseguida.

c. No desayuno **mucho** por la mañana, pero mi hermano Valerio desayuna cereales en el **comedor.**

d. Voy al colegio **a pie** a eso de las siete y cuarto.

e. Vuelvo a casa a eso de las **tres y media** y luego me relajo un poco.

f. Por lo general, **escucho música** en el salón.

g. Luego **me meto** en internet, veo una serie en Netflix o veo videos de TikTok en mi **dormitorio**.

h. Luego, a las **siete**, preparo la comida con mi madre en la cocina.

i. Me encanta preparar **pasteles** porque son **deliciosos**.

j. Me acuesto tarde, a eso de las **doce**.

4. Listen and write in English what Carmen does at each time

6:30	Shower	7:15	Goes to school by bike
8:00	Has her first lesson of the day	9:15	She has a sandwich
3:30	Plays basketball with friends after school	4:00	Does her homework
6:30	Goes to the gym	10:00	Watches television
11.00	Goes to bed		

5. Listening slalom: follow the speaker and number the boxes accordingly

a. Myriam	b. René	c. Paloma	d. Sofía
(a) Me despierto	Me levanto (b)	Me ducho (c)	Salgo del colegio (d)
Luego voy al gimnasio (c)	**Luego me levanto (a)**	Luego desayuno (b)	Luego me visto (d)
Después vuelvo a casa (d)	Después me visto (b)	Después preparo mi mochila (c)	**Después me ducho (a)**
Y luego salgo de casa (a)	Y luego salgo de casa (c)	Y luego me peino (b)	Y luego descanso un poco (d)
Finalmente, hago mis deberes. (b)	Finalmente, me visto. (d)	**Finalmente, mi padre me lleva al colegio en coche. (a)**	Finalmente, voy al colegio. (c)

6. Narrow listening: gapped translation

My name is Valentina. I am **12**. I am from **Toledo**. My daily routine is very **simple**. Generally, I get up **early**, at around 5:30 am. Then I shower and **put** on my uniform. **Then**, I have breakfast with my brothers. Then I **brush my teeth** and prepare my **rucksack**. At around **7:15 am** I leave home and go to school. I **return** home at around four. Then I rest **a bit**. Generally I read my **favourite** comics. From six to **seven** I do my homework. Then, at eight, I have **dinner**. I don't eat **meat**. Afterwards, I read a **book** or go on the **Internet**. Then I **go to bed** at 10:35 pm.

7. Fill in the grid: What do the different people do?

	a. Me (Verónica)	b. My mother	c. My father	d. My sister
At 7:30	shower	prepares breakfast	shaves	gets dressed
At 8:15	I go to school by bike	goes to work	arrives at work	goes to university
At 12:00	I have chicken with chips	has a salad	has a steak with vegetables	goes to the gym
From 3:00 to 4:00	play basketball with friends	comes back home (on horse)	is in the office	goes to her biology lesson
From 6:00 to 8:00	I do my homework	goes to the sports centre	comes back home (by bus)	plays on the computer
From 8:30 to 11:00	surf the web	watches a series on Netflix	watches videos on Youtube	chats with her friend, Felipe

Unit 12. Talking about my daily routine: VOCAB BUILDING

1. Match

me levanto – I get up   **voy al colegio** – I go to school   **me acuesto** – I go to bed   **almuerzo** – I have lunch
ceno – I have dinner   **desayuno** – I have breakfast   **descanso** – I rest   **vuelvo a casa** – I go back home

2. Translate into English

a. I get up at 6 a.m.   b. I go to bed at 11 p.m.   c. I have lunch at noon   d. I have breakfast at 6 a.m.
e. I go back home at 3.30 p.m.   f. I have dinner at about 8 p.m.   g. I watch TV   h. I listen to music
i. I leave the house at 7 a.m.

3. Complete with the missing words

a. **Voy** al colegio   b. **Salgo** de casa   c. **Vuelvo** a casa   d. **Veo** la tele   e. **Hago** mis deberes   f. **Escucho** música
g. **Juego** en el ordenador   h. **Almuerzo** a mediodía

4. Complete with the missing letters

a. **D**escanso   b. **V**uelvo a **c**asa   c. **E**scucho música   d. **D**esayuno   e. **C**eno   f. **V**oy al colegio   g. **M**e levanto
h. **M**e acuesto   i. **A**lmuerzo

5. Faulty translation – spot and correct any translation mistakes. Not all translations are wrong.

a. I ~~shower~~ **rest for** a bit   b. I go to bed at ~~noon~~ **midnight**   c. I do ~~your~~ **my** homework   d. I have lunch **OK.**
e. I ~~come back from~~ **go to** school   f. I ~~leave the house~~ **come back home**   g. I watch television **OK**
h. I leave ~~school~~ **home**   i. I wash/brush my ~~hands~~ **teeth**

6. Translate the following times into Spanish

a. a las seis y media de la mañana   b. a las siete y media de la mañana   c. a las ocho y veinte de la tarde
d. a mediodía e. a las nueve y veinte de la mañana   f. a las once de la noche   g. a medianoche
h. a las cinco y cuarto de la tarde

7. Complete the table

Me acuesto – I go to bed   **Me cepillo los dientes** – I brush my teeth   **Me levanto** – I get up
Vuelvo a casa – I go back home   **A las ocho y cuarto** – At 8.15   **Almuerzo** – I have lunch   **Ceno** – I have dinner
Escucho música – I listen to music   **Salgo de casa** – I leave the house   **Desayuno** – I have breakfast
Descanso – I rest   **Hago mis deberes** – I do my homework   **Me visto** – I get dressed

8. Complete the sentences using the words in the table below

a. A las siete y **media**   b. A **eso** de las cinco   c. A las ocho de la **mañana**   d. A **mediodía**   e. A las **once** y cuarto
f. A las tres **menos** veinte   g. A **medianoche**   h. A eso de **las** cuatro   i. **A** eso de las siete   j. A las ocho menos **cinco**

9. Translate into English (numerical)

a. At 8.30   b. At 9.15   c. At 9.55   d. At 12 am   e. At 12 pm   f. At 10.55   g. At 12.20

10. Complete

a. A **l**as **c**inco y media   b. A **l**as **o**cho y **c**uarto   c. A m**e**diodía   d. A las **o**cho menos **c**uarto   e. A **m**edianoche
f. A las **o**nce y m**e**dia   g. A **e**so de la una

11. Translate the following into Spanish

a. Voy al colegio a eso de las ocho   b. Vuelvo a casa a eso de las tres   c. Ceno a las siete y media
d. Hago mis deberes a eso de las cinco y media   e. Desayuno a las siete menos cuarto   f. Me acuesto a medianoche
g. Almuerzo a mediodía

Unit 12. Talking about my daily routine: READING

1. Answer the following questions about Hiroto

a. Japan   b. At around 6   c. With his father and his younger brother   d. At around 7.30   e. Until 6   f. By bike

2. Find the Spanish for the phrases below in Hiroto's text

a. A eso de las once   b. Con mis amigos   c. Voy en bici   d. Voy al parque   e. Me ducho y me visto
f. No como mucho   g. Desde las seis hasta las siete   h. Hago mis deberes

3. Complete the statements below about Andreas

a. He gets up at **around five o'clock**   b. He comes back from school at **around 3.30**   c. For breakfast he eats **fruit**
d. He has breakfast with **his mother and his sister**   e. After getting up he **goes jogging** and then showers
f. Usually he **plays the PlayStation** until midnight   g. …he brushes his teeth and then **he prepares his schoolbag**.

4. Find the Spanish for the following phrases/sentences in Gregorio's text

a. Soy mexicano   b. Me ducho   c. Con mis dos hermanos   d. Me relajo un poco   e. Como arroz o ensalada
f. Navego por internet   g. Ceno

Unit 12. Talking about my daily routine: READING

1. Find the Spanish for the following in Yang's text

a. Soy chino   b. Mi rutina diaria   c. Me ducho   d. Muy sencilla   e. A eso de las siete y media   f. No como mucho
g. Veo la tele   h. Voy al colegio   i. Hago mis deberes   j. Desde las seis hasta las once

2. Translate these items from Kim's text

a. soy inglesa   b. por lo general   c. a eso de las cinco y media   d. con mi madre y hermanastra   e. vuelvo a casa
f. ceno con mi familia   g. descanso un poco   h. me lavo los dientes

3. Answer the following questions on Anna's text

a. Italian   b. at 6.15   c. She surfs on the internet, watches tv or reads fashion magazines   d. by bus
e. with her older sister   f. at around 11.30   g. she eats fruit or salad   h. a novel

4. Find someone who…
a. Anna   b. Anna   c. Anna   d. Kim   e. Yang.   f. Kim   g. Kim

Unit 12. Talking about my daily routine: WRITING

1. Split sentences

Voy al colegio **en autobús**   Vuelvo a **casa**   Hago mis **deberes**   Veo **la tele**   Juego en el **ordenador**
Me levanto a **eso de las seis**   Me acuesto **a medianoche**   Salgo **de casa**

2. Complete with the correct option

a. Me levanto a **las** siete de la mañana   b. Hago **mis** deberes   c. Veo **la** tele   d. Juego en el **ordenador**
e. Me **acuesto** a medianoche   f. Vuelvo **a** casa   g. Salgo de **casa**   h. Voy al colegio **en** autobús

3. Spot and correct the grammar and spelling mistakes

a. Voy al colegio en bici   b. Me levanto a las siete y media   c. Salgo **de** casa a las ocho   d. Vuelvo a̶l̶ **a** casa
e. Voy **al** colegio en autobús   f. Me acuesto a eso **de** las once   g. Ceno a las ocho menos cuarto
h. Hago mis deberes a las cinco y media

4. Complete the words

a. cuarto – **quarter**   b. media – **half**   c. a las diez – **at 10**   d. a eso de – **at around**   e. a las ocho – **at 8**
f. veinte – **twenty**   g. luego – **then**   h. almuerzo – **I have lunch**   i. **vuelvo – I come back**   j. juego – **I play**

5. Guided writing

Elías: Me llamo Elías. Me levanto a las seis y media. Me ducho a las siete. Voy al colegio a las ocho y cinco y vuelvo a casa a las tres y media. Veo la tele a las seis, ceno a las ocho y diez y me acuesto a las once y diez.
Santino: Me llamo Santino. Me levanto a las siete menos veinte. Me ducho a las siete y diez. Voy al colegio a las ocho menos veinte y vuelvo a casa a las cuatro. Veo la tele a las seis y media, ceno a las ocho y cuarto y me acuesto a medianoche.
Julieta: Me llamo Julieta. Me levanto a las siete y cuarto. Me ducho a las siete y media. Voy al colegio a las ocho y vuelvo a casa a las tres y cuarto. Veo la tele a las siete menos veinte, ceno a las ocho y veinte y me acuesto a las once y media.

TERM 3 – BRINGING IT ALL TOGETHER – 12

1. Complete the sentences below using paragraphs 1, 2 and 3 as reference

a. My name is Aoife and I am **15** years old   b. Today I am feeling **happy**
c. My mother is more **patient** than my father   d. My grandparents are very kind and **good**
e. Conor enjoys playing **the drums**   f. Conor is very intelligent and **hard-working**
g. He is more **handsome** than Aoife

2. Find the Spanish equivalent for the following in paragraph 4

a. Simple: **Sencilla**   b. Early: **Temprano**   c. Then: **Luego**   d. I get dressed: **Me visto**   e. Around: **A eso de**
f. I have breakfast: **Desayuno**   g. I brush my teeth: **Me lavo los dientes**   h. On horseback: **A caballo**

3. Answer (in English) the following questions about paragraphs 5 and 6

a. Spanish   b. She likes to sing and speak in Spanish, she has a lot of friends and the teacher is funny
c. It's boring   d. It's useful for the future   e. Goes back home   f. Listens to music and chats with her friends
g. She does her homework and read a book   h. 20:15   i. Healthy food   j. Watches a film
k. With her siblings   l. 23:15

4. Find the Spanish equivalent in par. 1 to 3

a. Same as: **igual que**
b. Birthday: **cumpleaños**
c. I live: **vivo**
d. Older: **mayor**
e. Twin sister: **hermana gemela**
f. Funnier: **más divertida**
g. Strict: **severo**
h. Than: **que**
i. To read: **leer**
j. Books: **libros**
k. To watch: **ver**
l. Talkative: **habladora**
m. Hair: **pelo**
n. Straight: **liso**

5. Find the 13 mistakes in the following English translation of paragraph 4

My daily routine is **quite** simple. Normally, I **get up** at around **fifteen to seven**. It is quite **early**. Afterwards, I **shower** and I **brush my hair**. Finally, I put on my uniform. Afterwards, I **have breakfast** with my mother and my **sister** Aoife. Afterwards, I brush my **teeth** and prepare my **backpack**. Around **half past seven** I leave the house and go to school with Aoife. We go to school by **horse** because it is fast and **fun**.

6. Answer the questions below on paragraphs 5 and 6 in Spanish, as if you were Órla

a. El alemán   b. Porque me encanta hablar en alemán y el profesor explica bien
c. Es un poco difícil y complicada   d. A eso de las tres y media   e. Los deberes   f. Voy al gimnasio
g. Me meto en internet   h. La comida picante   i. Con mi hermano y mi hermana   j. A las once y cuarto

7. Identify and translate into English the SEVEN items on the list below which are not included in paragraph 6

a. **Entre** – between
b. Hermana
c. Después
d. **Desayuno** – breakfast
e. **A eso** – at around
f. **Un poco** – a bit
g. Película
h. Me meto
i. **Divertido** – fun
j. **Sencilla** – simple
k. Ceno
l. **Me pongo** – I put on

TRANSCRIPTS: Unit 13 - Saying where I and others go at the weekend

1. Sentence puzzle

a. El fin de semana que viene   b. Voy a ir al cine   c. Mi amigo va a ir a la piscina
d. Me gustaría ir al estadio con mis amigos   e. Voy a ir de paseo   f. Voy a ir al parque para montar en bici
g. Voy a ir al cine par ver una película de acción   h. Voy a ir al centro comercial para comprar cosas

2. Tick or cross

a. Voy a ir a la piscina con mis amigos
b. El fin de semana que viene voy a ir de marcha
c. El sábado que viene voy a ver una película en casa
d. Me gustaría ir al estadio para jugar al baloncesto
e. Mi amigo va a ir al parque
f. Mi hermano va a hacer deporte después del colegio
g. Me gustaría ver un partido de fútbol en la tele
h. Este fin de semana voy a jugar a videojuegos

3. Listen and fill in the gaps

a. El **fin** de semana **que** viene voy a ir al **parque**
b. Voy a **ir** al centro **comercial** para comprar **ropa**
c. Mi **mejor** amigo va a ir a la **playa** para **tomar** el sol
d. Voy **a** ir al parque **para** hacer **deporte**
e. Me **gustaría** ir al **estadio** para ver un **partido**
f. Voy a ir **al** cine para **ver** una **película** de acción
g. Voy a ir al **parque** para **montar** en bici con **mis** amigos
h. Voy a ir **de** marcha **con** mi **hermana** mayor

4. Break the flow

a. Voy a ir al parque   b. Voy a ir al cine   c. Voy a ir a la playa
d. Mi amigo va a ir a la piscina   e. Voy a ir al centro comercial   f. Me gustaría ir al estadio
g. Voy a ir al parque para montar en bici   h. Voy a ir al estadio para ver un partido

5. Spot and cross out the intruder in each sentence

a. El fin de semana que viene voy a ir de marcha
b. Voy a ir al estadio para ver un partido de futbol
c. Mi amigo Pedro va a ir al parque con mi hermano
d. El sábado mi hermana va a ir a una fiesta
e. Mañana voy a ir a la piscina. ¡Será fenomenal!
f. El fin de semana que viene voy a ir a la playa

6. Faulty translation: spot and fix the translation errors

a. Voy a ir a la piscina   d. Voy a ir de paseo
b. Voy a ir al colegio   e. Voy a ir para comprar cosas
c. Voy a ir al estadio   f. Voy a montar en bici

7. Gapped translation: word level

El próximo fin de semana voy a hacer muchas cosas. En primer lugar, el **viernes**, después del colegio, voy a ir al **centro comercial** con mi madre y mi **hermana** para comprar ropa y otras **cosas**. Será un poco **aburrido**. El sábado voy a ir al parque para **montar** en **bicicleta** y después voy a jugar **al fútbol** con mis amigos. Será **divertido**. Por la noche vamos a ir al **restaurante** con mis padres. El domingo voy a ir al **gimnasio** con mi **hermano** para levantar pesas. Será **agotador**. Después voy a ir de **marcha** con mi **mejor amigo** Paco.

8. Write in the places each person is going to go to

a. Voy a ir al restaurante
b. Voy a ir a la piscina
c. Voy a ir al centro comercial
d. Voy a ir al parque
e. Voy a ir al estadio
f. Voy a ir a la playa
g. Voy a ir al cine

9. Gapped translation: phrase level

a. El sábado voy a ir **al parque para montar en bicicleta**
b. El domingo voy a ir **a la piscina para nadar**
c. El próximo fin de semana voy a ir **al gimnasio para levantar pesas**
d. El sábado voy a ir **a la playa para tomar el sol**
e. El domingo voy a ir **al estadio para ver un partido**
f. El sábado voy a ir **al centro comercial para comprar cosas**
g. El fin de semana que viene voy a ir **al cine para ver una película**

10. Arrange in the correct order

El fin de semana que viene
voy a hacer muchas cosas.
Primero, el sabado
voy a ir al gimnasio con mi hermano
para hacer pesas
y a la piscina para nadar.
Luego, el domingo
voy a ir al estadio
con mis amigos
para ver un partido del Real Madrid

11. Broken words

a. V**oy** a ir al c**ine** para v**er** una pelí**cu**la
b. El f**in** de se**ma**na que vie**ne** voy a ir al par**que**
c. El sába**do** voy a i**r** al est**adio**
d. El domin**go** voy a i**r** al gimnasio
e. Se**rá** agota**dor** pero diverti**do**
f. V**oy** a ir al **cen**tro com**er**cial pa**ra** comprar co**sas**
g. Voy a i**r** a **la** pis**ci**na para **na**dar
h. Voy a ir al restaurant**e** para cen**ar** con m**i** famil**ia**

12. Slalom listening

a. El fin de semana que viene voy a ir al gimnasio para hacer pesas con mi hermano mayor. Será agotador.
b. El sábado que viene voy a ir a la piscina para nadar con mis amigos. Será genial.
c. El domingo que viene voy a ir al centro comercial con mi hermana para comprar ropa y otras cosas. Será un poco aburrido
d. Hoy voy a ir al parque para montar en bici con mi mejor amigo. Será divertido.

ANSWERS: Unit 13 - Saying where I and others go at the weekend

Unit 13. Talking about weekend plans: LISTENING

1. Sentence puzzle

a. El fin de semana que viene   b. Voy a ir al cine   c. Mi amigo va a ir a la piscina
d. Me gustaría ir al estadio con mis amigos   e. Voy a ir de paseo   f. Voy a ir al parque para montar en bici
g. Voy a ir al cine par ver una película de acción   h. Voy a ir al centro comercial para comprar cosas

2. Tick or cross

a. Piscina √   b. Marcha √   c. Cine X   d. Estadio √   e. Paseo X   f. Deporte √
g. Partido √   h. Gimnasio X

3. Listen and fill in the gaps

a. El **fin** de semana **que** viene voy a ir al **parque**
b. Voy a **ir** al centro **comercial** para comprar **ropa**
c. Mi **mejor** amigo va a ir a la **playa** para **tomar** el sol
d. Voy **a** ir al parque **para** hacer **deporte**
e. Me **gustaría** ir al **estadio** para ver un **partido**
f. Voy a ir **al** cine para **ver** una **película** de acción
g. Voy a ir al **parque** para **montar** en bici con **mis** amigos
h. Voy a ir **de** marcha **con** mi **hermana** mayor

4. Break the flow

a. Voy a ir al parque
b. Voy a ir al cine
c. Voy a ir a la playa
d. Mi amigo va a ir a la piscina
e. Voy a ir al centro comercial
f. Me gustaría ir al estadio
g. Voy a ir al parque para montar en bici
h. Voy a ir al estadio para ver un partido

5. Spot and cross out the intruder in each sentence

a. El fin de semana que ~~NO~~ viene voy a ir de marcha
b. Voy a ir al estadio para ver ~~A~~ un partido de futbol
c. Mi amigo Pedro va a ir al ~~LA~~ parque con mi hermano
d. El sábado mi hermana ~~Y~~ va a ir a una fiesta
e. Mañana voy a ir a la piscina. ¡Será ~~MUY~~ fenomenal!
f. El fin de ~~LA~~ semana que viene voy a ir a la playa

6. Faulty translation: spot and fix the translation errors

a. I am going to go to the swimming pool
b. I am going to go to the school
c. I am going to go to the stadium
d. I am going to go walking
e. I am going to buy things
f. I am going to ride my bike

7. Gapped translation: word level

Next weekend I am going to do many things. First of all, on **Friday**, after school, I am going to go to the **shopping mall** with my mother and **sister** to buy clothes and other **things**. It will be a bit **boring**. On Saturday I will go to the park to **ride** my **bike** and after that I am going to play **football** with my friends. It will be **fun**. In the evening we are going to go to the **restaurant** with my parents. On Sunday I will go to the **gym** with my **brother** to lift weights. It will be **tiring**. After that, I will go **clubbing** with my **best friend** Paco.

8. Write in the places each person is going to go to

a. Restaurant   b. Swimming pool   c. Mall   d. Park   e. Stadium   f. Beach   g. Cinema

9. Gapped translation: phrase level

a. the park to ride my bike
b. the swimming pool to swim
c. the gym to lift weights
d. the beach to sunbathe
e. the stadium to watch a match
f. the shopping centre to buy things
g. the cinema to watch a movie

10. Arrange in the correct order

Next weekend - I'm going to do many things. - First, on Saturday - I'm going to go to the gym with my brother - to do weights - and to the pool to swim. - Then, on Sunday - I'm going to go to the stadium - with my friends - to watch a Real Madrid match.

11. Broken words

a. **Voy** a ir al c**ine** para v**er** una pelí**cu**la
b. El f**in** de sem**an**a que vie**ne** voy a ir al par**que**
c. El sába**do** voy a **ir** al est**adio**
d. El domin**go** voy a **ir** al gim**nas**io
e. Será agota**dor** pero diverti**do**
f. **Voy** a ir al **cen**tro comercial pa**ra** comprar cos**as**
g. Voy a i**r** a **la** pis**ci**na para **na**dar
h. Voy a ir al restaurant**e** para cen**ar** con m**i** famil**ia**

a.	b.	c.	d.
a. Next weekend	b. Next Saturday	c. Next Sunday	d. Today
b. I am going to go to the swimming pool **(b)**	a. I am going to go to the gym **(a)**	d. I am going to go to the park **(d)**	c. I am going to go to the shopping centre **(c)**
a. to do weights **(a)**	d. to ride my bike **(d)**	c. with my sister **(c)**	b. to swim **(b)**
d. with my best friend. **(d)**	c. to buys clothes and other things. **(c)**	b. with my friends. **(b)**	a. with my older brother. **(a)**
b. It will be great **(b)**	d. It will be fun **(d)**	a. It will be tiring **(a)**	c. It will be a bit boring **(c)**

Unit 13. Talking about weekend plans: VOCABULARY BUILDING

1. Gapped translation

a. Voy a ir al parque	*I am going to go to the **park***
b. Voy a ir de paseo	*I am going to go for a **walk***
c. Voy a ir a la piscina	*I am going to go to the **swimming pool***
d. Voy a ir al gimnasio	*I am going to go to the **gym***
e. Voy a ir al centro comercial	*I am going to go to the **mall***
f. Será agotador	*It will be **exhausting***
g. Será relajante	*It will be **relaxing***
h. Será aburrido	*It will be **boring***
i. Será divertido	*It will be **fun***

2. Match

piscina – pool   **agotador** – tiring   **playa** – beach   **bici** – bike   **tiendas** – shops   **paseo** – walk   **parque** – park **gimnasio** – gym

3. Faulty translation

a. Voy a ir al centro comercial para comprar cosas	*I am going to the mall to buy **things***
b. Voy a ir a la piscina para nadar	*I am going to the swimming pool to **swim***
c. Voy a ir al parque para montar en bici	*I am going to go to the park to **ride the bike***
d. Voy a ir a la playa para tomar el sol	*I am going to the beach to **sunbathe***
e. Voy a ir al centro comercial para comprar ropa	*I am going to the **mall** to **buy clothes***
f. Voy a ir de paseo. Será relajante.	*I am going to go for a walk. It will be **relaxing***
g. Mi hermana va a ir de marcha. Sera divertido.	*My sister is going to go clubbing. It will be fun*
h. Mi mejor amigo va a ir al estadio	*My best friend is going to go to the stadium*

4. Complete with the correct option

a. Voy a **ir** al parque   b. El fin de semana **que** viene   c. Voy **a** ir a la playa   d. Voy a ir de **pesca**
e. Me gustaría ir de **paseo**   f. Voy a ir **de** tiendas   g. para **tomar** el sol   h. para montar en **bici**

5. Sentence puzzle

a. Voy a ir al parque   b. Mi amigo va a ir al estadio   c. Voy a ir de tiendas   d. Voy a ir a la piscina
e. Voy a ir de paseo   f. Mi hermana va a ir de marcha   g. Voy a ir al gimnasio   h. Voy a ir al centro comercial
i. Me gustaría ir a la playa   j. Mi hermano va a ir al restaurante

6. Find the Spanish for the words/phrases below

		d	a	r	u	n	p	a	s	e	o	
b	i	c	i		p	l	a	y	a			
		i			i	a						
		r			s		r					
					c			q				
					i				u		r	
					n					e	a	
					a						t	
		t	i	e	n	d	a	s			n	
	a	g	o	t	a	d	o	r			o	
m	e	g	u	s	t	a	r	ì	a		m	

7. Break the flow

a. Voy a ir de tiendas para comprar cosas   b. Voy a ir al centro comercial para comprar ropa

c. Voy a ir al parque para montar en bici   d. Voy a ir de paseo. Será relajante

e. Voy a ir al gimnasio para hacer pesas. Será agotador   f. Voy a ir a la piscina para nadar. Será divertido

8. Translate into English

a. I am going to go for a walk   b. I am going to go shopping   c. I am going to go to the gym

d. I am going to go to the sports centre   e. I am going to go to the swimming pool   f. I am going to ride a bike

9. Tick the 3 sentences which are error free and cross & correct the ones which contain errors

a. Voy **a** ir al parque

b. Voy a ir para comprar cosas √

c. Voy a ir **de** paseo

d. Voy a ir de marcha √

e. …para montar **en** bici

f. El fin **de** semana que viene

g. Será relaxante

h. Me gustaría **a** ir

i. Voy a ir de tiendas √

10. Split sentences

Voy a ir al	parque
Voy a ir de	paseo
Voy a ir a la	piscina
Voy a ir	de tiendas
Será	agotador
Me gustaría	ir a la playa
Me gustaría ir al cine	para ver una película
Voy a ir al parque para	montar en bici

11. Complete with the missing letters

a. Voy a ir de pa**seo**   b. Voy a ir de tien**das**   c. Será agota**dor**   d. Me gustaría ir de mar**cha**   e. No voy a ir al ci**ne**
f. Será relaja**nte**   g. Voy a ir al par**que**   h. Será divert**ido**

Unit 13. Talking about weekend plans: READING

1. Find the Spanish for the following in Yang's text

a. No hago mucho   b. Los sábados   c. Juego al ajedrez   d. El fin de semana que viene   e. Mucho deporte
f. Para montar en bici   g. Jugar al baloncesto   h. El domingo   i. Voy a ir   j. Hermano mayor   k. Luego
l. Para hacer pesas

2. Complete based on Kim's text

a. On weekends I do a lot of **sport**   b. In the morning I go **jogging** in the park
c. The football pitch is **near** my house   d. Next weekend I am going to do **little** sport
e. On Saturday I am going **to go shopping** with my parents and I am going to buy a new **phone**
f. On Sunday I am going to the park to **play basketball**
g. After the cinema I am going to **go to my best friend's home** to play PlayStation

4. Find someone who, next weekend, is going to...

a. Anna   b. Anna   c. Kim   d. Yang   e. Yang   f. Kim   g. Yang

3. Answer the following questions on Anna's text

a. Goes shopping, reads a book or watches TV   b. Clothes and a new computer   c. A comedy   d. Go jogging
e. She plans to exercise   f. Go for a walk

Unit 13. Talking about weekend plans: WRITING

1. Broken words

a. Voy a ir al cine con mis amigos   b. El fin de semana que viene   c. Me gustaría ir al parque
d. Voy a ir al centro comercial con mis padres   e. Voy a ir al gimnasio para hacer pesas
f. Mi hermano va a ir de tiendas con mi madre   g. Mi mejor amigo va a ir a la playa para tomar el sol
h. Voy a ir al estadio para ver un partido

2. Anagrams: unscramble the weird word

a. Voy a ir de **tiendas**   b. Será **divertido**   c. Me gustaría ir de **paseo**   d. Voy a ir a la **piscina**
e. Mi **mejor** amigo va a ir al gimnasio   f. Mi hermano va a ir al estadio **para** ver un partido
g. Voy a ir a la playa para **tomar** el sol   h. El fin de semana que **viene** voy a ir al parque

3. Tangled translation: into Spanish

a. Voy a **ir** a la **piscina**   b. Mi **mejor** amigo **va** a ir al **gimnasio**
c. Mi hermano **mayor** va a ir al estadio **para ver** un partido   d. Voy a ir a la **playa** para tomar el **sol**
e. **El** fin de semana que **viene** voy a ir al **parque**   f. **Me gustaría** ir de **paseo** por el **centro** de la ciudad
g. Voy **a ir al** centro **comercial** para **comprar** ropa **y** otras **cosas**   h. **Será** divertido pero **agotador**

4. Spot and correct the errors

a. Voy a ir **a la** piscina   b. La semana que viene voy **a** ir al parque   c. Me gustaría ir a la playa **para** tomar el sol
d. Voy a ir al cine para ver una película **de** acción   e. Mi mejor amiga **va** a ir al **gimnasio**
f. Mi hermano **va** a ir al estadio   g. Voy a ir **al** centro **comercial** para comprar cosas
h. Voy **a** ir a la playa para **nadar** en el mar

5. Translate into Spanish

a. El fin de semana que viene voy a ir al parque para montar en bici
b. El próximo sábado voy a ir al cine para ver una película de acción
c. El próximo domingo voy a ir a la playa con mis amigos   d. Voy a ir al gimnasio para hacer pesas. Será agotador
e. El fin de semana que viene mi amigo va a ir al estadio para ver un partido
f. Voy a ir al parque para ir de paseo   g. Mi amigo va a ir al centro comercial a comprar ropa
h. Voy a ir al centro para ir de compras   i. Voy a ir al polideportivo para nadar

TERM 3 – BRINGING IT ALL TOGETHER – 13

1. Find the Spanish for the following in the paragraphs indicated in brackets

a. Una ciudad grande   b. Feliz   c. Después   d. Cariñosa   e. Siempre vamos   f. Bailar   g. Guapa
h. Más que   i. Sencilla   j. Me despierto temprano   k. Desayuno   l. Salgo de casa   m. Me encanta
n. Mis propias canciones   o. Me ayudan   p. Voy a hacer   q. Voy a ir

2. Complete the following translation of paragraph 4

My daily routine is quite **simple**. In general, I wake up **early**, at around seven o'clock in the **morning**. Afterwards I wash and **get dressed**. Then at about seven-thirty, I **have breakfast** with my father and my sister, Lisa. Normally, I have cereal with **milk**. My father has a toast and a coffee with **milk**. After that I **prepare** my **schoolbag** and **leave the house**.

3. Correct the 10 mistakes in the following translation of paragraph 7

Next **weekend** I am going to do a lot of **sport**. On **Saturday**, I am going to go to the park to ride my **bike** and to the **sports centre** to play **basketball** with my friends. On **Sunday** I am going to go to the **swimming pool** to swim with my **older** brother and then to the gym to do some **weights**. It will be **tiring**!

4. Answer the following questions about paragraphs 1 to 4 in Spanish, as if you were Annike

a. Soy de Austria   b. Estoy muy feliz porque voy a ir a ver un partido de fútbol   c. Cuatro
d. Muy simpática   e. Wolfgang y Helga   f. Son muy amables   g. Mi hermana Sonja   h. A las seis y media
i. En la cocina   j. Nada   k. Al colegio

5. Find the Spanish equivalent for the following in paragraphs 5 and 6

a. Mi asignatura favorita   b. Me encanta trabajar   c. En el futuro   d. Igual que mi padre
e. Es bastante bueno   f. Siempre nos dan   g. Aprendo mucho   h. Siempre me ayudan
i. Puedo aprender sobre

6. Paragraph 7 was copied incorrectly. Spot and correct the 10 mistakes

El fin de semana que viene voy a hacer muchas cosas con mis amigos. El sábado, voy a ir al centro comercial para mirar escaparates e ir a a mi restaurante italiano favorito. El domingo voy a ir al gimnasio para hacer pesas y luego voy a ir al cine para ver una película. ¡Será divertido!

7. Translate the following phrases from paragraph 7 into English

a. To do many things   b. Window shopping   c. To do weights   d. To watch a film   e. It will be fun

TERM 3 – MIDPOINT – RETRIEVAL PRACTICE

1. Answer the following questions in Spanish – Students' own answers

2. Write a paragraph in the first person singular (I) providing the following details

Me llamo Lionel y tengo doce años. Soy de Argentina pero vivo en Londres. Mi rutina diaria es simple/sencilla: cada día me levanto a las seis, me ducho, tomo el desayuno con mi hermano y voy a la escuela en autobús a las siete y media. Vuelvo a casa a eso de las cuatro. Por la tarde como pan y mermelada o miel y bebo una taza de chocolate caliente. Más tarde juego a la Play, me meto en internet y veo películas en la tele con mi familia. No me gusta la escuela porque los profesores son demasiado estrictos y nos dan demasiados deberes. Sin embargo, me encanta la clase de arte porque el profesor es divertido y siempre me ayuda. El fin de semana que viene voy a hacer mucho deporte: voy a ir al gimnasio, a la piscina y también voy a jugar al tenis. También voy a ir de compras con mis amigos y voy a comprar ropa. Finalmente, voy a ir al cine para ver una película de acción.

3. Write a paragraph in the third person singular (he/she) providing the following details about a real or fictitious friend – Students' own answers

TRANSCRIPTS: Unit 14 - Things I like/dislike: food

1. Listen and fill in the gaps

a. A mi hermano le encantan **los calamares.**
b. Me encanta **el chocolate.**
c. A Rafa le gusta mucho **la miel.**
d. A mi padre le encanta **la mermelada** de fresa.
e. A Paco no le gustan nada **las verduras.**
f. Mi madre odia **los plátanos.**
g. A Alejandro le gusta muchísimo **el queso.**
h. Odio los **huevos.**
i. A mi hermana le encanta el **pollo asado** picante.

2. Mystery words: guess the words, then listen and see how many you guessed right

a. el **agua**   b. la **miel**   c. el **huevo**   d. la **carne**   e. el **pescado**   f. la **manzana**   g. el **pan**   h. el **arroz**

3. Spot the differences and correct your text

a. Me encanta la fruta, sobre todo las **manzanas.**
b. Odio las verduras, sobre todo **los tomates.**
c. No me gusta el pollo **asado.**
d. Me gusta muchísimo **el queso.**
e. Me gusta **un poco** la pasta.
f. Me encanta el zumo de **naranja.**
g. La carne roja no es **saludable.**
h. El café es **asqueroso.**
i. Las hamburguesas son **grasientas.**
j. Las verduras son **deliciosas.**
k. Las **zanahorias** son crujientes.
l. No me gusta **nada** la leche.

4. Listen, spot and correct the spelling and grammar errors

a. Me **gustaN** las verduras porque son sanas.
b. Me **encantaN** las hamburguesas.
c. El pescado y la carne son **sabrosOs.**
d. Me **gustA** bastante el zumo de naranja.
e. Como **muCHO** pescado porque es rico en proteínas.
f. No me gusta **LA** carne porque es grasienta.
g. Me encanta **EL** pollo asado porque es sabroso.
h. Me **gustaN** mucho los calamares fritos aunque NO SON MUY SALUDABLES.

5. Faulty translation: spot the translation errors and correct them

Me llamo Felipe. ¿Qué me gusta comer? Me encantan las **verduras**, sobre todo los **tomates**. Los **como** todos los días. Mis verduras favoritas son los tomates y **las espinacas** porque son **ricas en vitaminas**. También me gusta **la miel** porque es **dulce** y **la fruta** porque es **saludable**. Odio **la carne** y **el pescado**. Son ricos en proteínas pero no son **sabrosos.** *"El tomate es una fruta"*

6. Why do they like/dislike these foods?

a. Me gusta la fruta porque es dulce y saludable.
b. A mi hermano le encantan los huevos porque son ricos en proteínas y sabrosos.
c. Silvia detesta las verduras porque son asquerosas.
d. A Jaime le gusta el pescado porque es salado, sabroso y sano.
e. A Conchi le encantan las naranjas porque son amargas y saludables.
f. A Rafa le encanta la comida india porque es picante y sabrosa.
g. A Ahmed no le gusta el cerdo por su religión.
h. A Pilar no le gustan los tomates porque no son sabrosos.
i. Susana odia las zanahorias porque son duras y no son sabrosas.

7. Listening slalom: follow the speaker from top to bottom and number the boxes accordingly

a. Me encanta la carne porque es sabrosa y rica en proteínas. La como con ensalada o patatas fritas.
b. Odio las espinacas y los tomates porque son asquerosos. Prefiero las zanahorias.
c. No soporto ni las hamburguesas ni las salchichas ni las patatas fritas porque no son saludables.
d. Me encanta el chocolate y los pasteles porque son dulces y deliciosos, aunque no son muy saludables.

8. Answer the questions below about Maite

Hola, me llamo Maite. Vivo en Extremadura y hay 6 personas en mi familia. A mis padres les encanta comer carne pero a mi madre no le gustan nada los tomates. Mi hermano, Rafa, siempre come pollo asado picante y patatas fritas – le encanta. A mi otro hermano, Jaime, le encantan el pescado y el marisco. ¿Y a mí? A mí me encanta el pan con mantequilla y miel. Sin embargo, odio los huevos. En mi opinión son asquerosos.

ANSWERS: Unit 14 - Things I like/dislike: food

Unit 14. Talking about food - Likes/dislikes and why: LISTENING

1. Listen and fill in the gaps

a. A mi hermano le encantan los **calamares.**   b. Me encanta **el chocolate.**   c. A Rafa le gusta mucho la **miel.**
d. A mi padre le encanta la **mermelada** de fresa.   e. A Paco no le gustan nada las **verduras.**
f. Mi madre odia los **plátanos.**   g. A Alejandro le gusta muchísimo el **queso.**   h. Odio los **huevos.**
i. A mi hermana le encanta el **pollo asado** picante.

2. Mystery words: guess the words, then listen and see how many you guessed right

a. el **agua**   b. la **miel**   c. el **huevo**   d. la **carne**   e. el **pescado**   f. la **manzana**   g. el **pan**   h. el **arroz**

3. Spot the differences and correct your text

a. Me encanta la fruta, sobre todo las **manzanas**.   b. Odio las verduras, sobre todo **los tomates**.
c. No me gusta el pollo **asado**.   d. Me gusta muchísimo **el queso**.
e. Me gusta **un poco** la pasta.   f. Me encanta el zumo de **naranja**.
g. La carne roja no es **saludable**.   h. El café es **asqueroso**.
i. Las hamburguesas son **grasientas**.   j. Las verduras son **deliciosas**.
k. Las **zanahorias** son crujientes.   l. No me gusta **nada** la leche.

4. Listen, spot and correct the spelling and grammar errors

a. Me **gustaN** las verduras porque son sanas.   b. Me **encantaN** las hamburguesas.
c. El pescado y la carne son **sabrosOs**.   d. Me **gustA** bastante el zumo de naranja.
e. Como **muCHO** pescado porque es rico en proteínas.   f. No me gusta **LA** carne porque es grasienta.
g. Me encanta **EL** pollo asado porque es sabroso.
h. Me **gustaN** mucho los calamares fritos aunque no son muy saludables.

5. Faulty translation: spot the translation errors and correct them

My name is Felipe. What do I enjoy eating? I love **vegetables**, especially **tomatoes**. **I eat** them every day. My favourite vegetables are tomatoes and **spinach** because they are **rich in vitamins**. I also like **honey** because it is **sweet** and **fruit** because it is **healthy**. I hate **meat** and **fish**. They are rich in protein but they are not **tasty**.

6. Why do they like/dislike these foods?

a. Sweet and healthy   b. Rich in protein and tasty   c. Disgusting
d. Salty, tasty and healthy   e. Bitter and healthy   f. Spicy and tasty
g. His religion   h. Not tasty   i. Hard and not tasty

7. Listening slalom: follow the speaker from top to bottom and number the boxes accordingly

a.	b.	c.	d.
I love (a)	I hate (b)	I can't stand (c)	I love (d)
chocolate (d)	meat (a)	spinach (b)	burgers (c)
and cakes (d)	sausages (c)	because it is (a)	and tomatoes (b)
or French fries (c)	because they are sweet (d)	because they are (b)	tasty (a)
and delicious (d)	disgusting. (b)	and rich in protein. (a)	because they are (c)
not (c)	I eat it with salad (a)	I prefer (b)	although they are (d)
not very healthy (d)	healthy (c)	or French fries (a)	carrots (b)

8. Answer the questions below about Maite

a. How many people are in Maite's family? – **Six**   b. What do her parents love? – **Meat**
c. What does her mother hate? – **Tomatoes**
d. What does her brother Rafa love? – **Spicy roast chicken and French fries**
e. What does her brother Jaime love? – **Fish and seafood**   f. What does Maite love? – **Bread with honey and butter**
g. What does she hate? – **Eggs**   h. Why? – **She thinks they are disgusting**

Unit 14. Talking about food: VOCABULARY BUILDING

1. Match

los plátanos – bananas   **las fresas** – strawberries   **la carne** – meat   **el pollo** – chicken   **el agua** – water
la leche – milk   **los huevos** – eggs   **las gambas** – prawns   **las hamburguesas** – burgers   **la fruta** – fruit
las manzanas – apples

2. Complete

a. Me gusta mucho el **pollo**   b. Me encantan las **gambas**   c. Me gustan las **fresas**   d. Me encanta la **leche**
e. Me encantan los **plátanos**   f. Me encanta el **agua** mineral   g. No me gustan los **tomates**   h. Odio el **pollo**
i. Me encanta la **fruta**   j. No me gustan los **huevos**

3. Translate into English

a. I like fruit   b. I hate eggs   c. I love roast chicken   d. I like burgers   e. I hate meat   f. I prefer oranges
g. I don't like tomatoes   h. I hate milk

4. Complete the words

a. los hu**evos**   b. los pl**átanos**   c. la f**ruta**/f**resa**   d. las verd**uras**   e. las hamb**urguesas**   f. las g**ambas**
g. las man**zanas**   h. el **agua**/ **arroz**

5. Fill the gaps with either 'me gusta' or 'me gustan' as per your own preference

a. No **me gustan** los huevos   b. **Me gusta** el agua   c. **Me gusta** el pollo   d. **Me gustan** las hamburguesas
e. **Me gustan** las verduras   f. **Me gusta** la carne   g. **Me gusta** la fruta   h. **Me gustan** las gambas
i. **Me gusta** la pasta

6. Translate into Spanish

a. Me gustan los huevos   b. Me encantan las naranjas   c. Odio los tomates   d. No me gustan las gambas
e. Me encanta la fruta   f. No me gustan las verduras   g. Odio la leche

Unit 14. Talking about food: VOCABULARY BUILDING

1. Complete with the missing words. The initial letter of each word is given

a. Estos plátanos son a**squerosos**   b. Estas manzanas son d**eliciosas**   c. Este pollo es muy **picante**   d. No me gusta la **c**arne e. Este café es muy d**ulce**   f. Las hamburguesas son m**alsanas**   g. Las verduras son s**anas**   h. Me encanta la l**eche**

2. Complete the table

la leche – **milk**   **pollo asado** – roast chicken   el pescado – **fish**   los huevos – **eggs**   **el agua** – water   **el pan** – bread
los cereales – **cereals**   el pan tostado – **toast**   **las verduras** – vegetables

3. Complete with 'me gusta' or 'me gustan' as appropriate

a. **Me gustan** las manzanas   b. **Me gusta** la leche   c. No **me gustan** los cereales   d. **Me gusta** el pan tostado
e. **Me gustan** las verduras   f. No **me gusta** la pasta   g. **Me gusta** el arroz   h. No **me gusta** el café

4. Broken words
a. No m**e** g**ustan** los h**uevos**   b. M**e** e**ncantan** las m**anzanas**   c. Odio las h**amburguesas**
d. M**e** g**ustan** m**ucho** los **chocolates**   e. El c**afé** es s**abroso**   f. El p**escado** es s**ano**   g. El curry indio e**s** p**icante**

5. Complete with a suitable word. Make sure each sentence is logical and grammatically correct
a. Las **hamburguesas** no son sanas   b. Los plátanos son **sanos**   c. No me **gusta** la leche
d. Me **encanta** el pollo asado   e. **Me encanta** el pescado porque es sano
f. **Odio/No me gusta** la carne roja porque es malsana.   g. **Me gustan** las verduras porque son sanas y deliciosas

Unit 14. Talking about food: READING

1. Find the Spanish for the following in Roberto's text

a. me encanta el marisco   b. me gustan las gambas   c. son deliciosos   d. me gusta mucho el pescado   e. el salmón
f. me gusta bastante   g. además   h. sobre todo   i. no son sabrosas

2. Fernando or Roberto? Write F or R next to each statement below

a. *Roberto*   b. Fernando   c. Fernando   d. Roberto   e. Roberto   f. Fernando   g. Fernando and Roberto
h. Fernando   i. Fernando

3. Complete the following sentences based on Alejandro's text

a. Alejandro loves **vegetables**   b. He eats them **every day**
c. His favourite vegetables are **spinach**, **carrots** and **aubergines/egg plants**
d. He also likes **fruit** because it is **healthy** and **delicious**   e. He hates **meat** and **fish**

4. Fill in the table below (in English) about Juan & Violeta

Juan: Loves – meat   **Likes a lot** – burgers, fruit   **Doesn't like** – vegetables, fries/chips   **Hates** – tomatoes, carrots, eggs
Violeta: Loves – meat (lamb)   **Likes a lot** – spicy roast chicken, eggs, fruit   **Doesn't like** – apples   **Hates** – seafood (especially squid)

Unit 14. Talking about food: TRANSLATION

1. Faulty translation: spot and correct any translation mistakes you find below

a. I ~~hate~~ **love** prawns   b. I ~~like~~ **hate** ~~meat~~ **chicken**   c. I ~~don't~~ like honey   d. I love ~~apples~~ **oranges**
e. Eggs are ~~tasty~~ **disgusting**   f. Bananas are rich in ~~protein~~ **vitamins**   g. Fish is **very** ~~un~~healthy
h. I prefer ~~tap~~ **mineral** water   i. I ~~love~~ **hate** vegetables   j. I love rice ~~pudding~~   k. I ~~quite~~ **don't** like fruit
l. Fried squid is ~~salty~~ **tasty**   m. This coffee is ~~disgusting~~ **delicious**

2. Translate into English

a. Prawns are tasty   b. Fish is delicious   c. Chicken is rich in proteins   d. I love rice   e. Red meat is unhealthy
f. Some fried squids   g. Eggs are disgusting   h. I prefer sparkling water   i. I quite like prawns
j. I don't like vegetables   k. I like carrots   l. This coffee is very sweet   m. A disgusting apple
n. Some delicious oranges

3. Phrase-level translation: English to Spanish

a. el pollo picante   b. este café   c. me gusta bastante   d. muy dulce   e. una manzana asquerosa
f. unas naranjas deliciosas   g. no me gusta   h. me encanta   i. el pescado sabroso   j. el agua mineral   k. la carne asada

4. Sentence-level translation: English to Spanish

a. Me gusta mucho el pollo picante   b. Me gustan las naranjas porque son sanas   c. La carne es sabrosa pero malsana
d. Este café es muy dulce   e. Los huevos son asquerosos
f. Me encantan las naranjas. Son deliciosas y ricas en vitaminas
g. Me encanta el pescado. Es sabroso y rico en proteínas   h. Las verduras son asquerosas
i. Prefiero los plátanos   j. Este té es dulce.

Unit 14. Talking about food: WRITING

1. Split sentences

Me gusta el pollo **asado.**   Odio las verduras porque **son asquerosas.**   Prefiero la **fruta/carne.**   Este **café es dulce.**
Me gusta bastante la **fruta/carne.**   Los calamares fritos son **sabrosos pero no son saludables.**
Me encantan **los plátanos.**

2. Rewrite the sentences in the correct order
e.g. Me encanta el pollo asado   a. Odio las verduras   b. Este café es dulce   c. Los calamares fritos no son saludables
d. Prefiero el agua mineral   e. Las verduras son asquerosas   f. Me gustan mucho las naranjas porque son deliciosas

3. Spot and correct the grammar and spelling

a. Me gusta**n** las naranjas   b. No **me** gustan las verduras   c. Los huevos **son** asquerosos   d. Me encanta este caf**é**
e. Prefiero las zanahorias   f. Odio **la** carne

4. Anagrams

a. asqueroso   b. verduras   c. carne   d. pescado   e. sano   f. dulce   g. leche

5. Guided writing

Natalia: Me llamo Natalia. Me encanta el chorizo porque es picante. Me gusta bastante la leche porque es sana, pero no me gusta la carne roja y odio los huevos porque son asquerosos.
Iker: Me llamo Iker y me encanta el pollo porque es sano. Me gustan bastante las naranjas porque son dulces, pero no me gusta el pescado y odio la carne porque es malsana.
Julieta: Me llamo Julieta y me gusta la miel porque es dulce. Me gusta bastante el pescado porque es sabroso, pero no me gustan las frutas y odio las verduras porque son aburridas.

6. Describe this person in the third person

Se llama Rafa y tiene dieciocho años. Es alto, guapo, deportista y simpático. Es estudiante. Le encanta el pollo, le gustan las verduras, pero no le gusta la carne roja y odia el pescado.

TERM 3 – BRINGING IT ALL TOGETHER – 14

1. Complete the sentences below based on paragraph 4 in Andrew's text

a. Andrew is **14** years old   b. Today he is a bit **tired** and stressed   c. My **older** sister is called Skye
d. Skye enjoys reading books, **writing** and singing   e. Skye has **brown** hair and green eyes
f. Andrew is more **hard-working** than her   g. He does sport **every day**   h. Andrew gets up very **early**
i. He goes to school **walking**

2. Find the Spanish for the following in paragraph 5

a. Vegetables: **Verduras** i. What: **Qué**
b. I eat: **Como**   j. But: **Pero**
c. Also: **También**   k. Them: **Las**
d. Above all: **Sobre todo** l. So: **Tan**
e. Veal: **Ternera**   m. Of: **De**
f. Tasty: **Sabrosa**   n. Only: **Solo**
g. Healthy: **Saludable** o. Once: **Una vez**
h. Fish: **Pescado**   p. Eggs: **Huevos**

3. Some of the below statements about Andrew are incorrect. Spot them and correct the inaccuracies

a. Today, Andrew has **too much** homework   b. Correct   c. They have breakfast in the **kitchen**
d. He goes to school **walking**   e. He only eats meat **once** a week   f. Correct   g. His favourite subject is **art**
h. Correct   i. Next **Friday** he will go shopping   j. He will also watch a movie at **home**

4. Translate the following phrases from paragraphs 1 to 3

a. I live here   b. My older sister   c. Calm   d. Listens to me   e. Water sports   f. Sporty and strong
g. Long blond hair   h. Sportier than me

5. Fix the 10 mistakes in the following English translation of paragraph 4

During the week my daily routine is the same every day. In general, I **wake up** around 7 o'clock in the morning. Then, I wash my **face** and teeth and I **get dressed**. Afterwards, at seven-**fifteen**, I have breakfast with my sister Maisie in the **dining room**. The two of us have toasts and cereals with **milk** for breakfast. I **always** go to school by bus. I like to go to school by bus because I can **chat** with my friends.

6. Answer the questions below about paragraphs 6 and 7 in Spanish, as if you were Angus

a. Sí. Los profesores son buenos, no chillan y no son muy severos   b. Lo mejor es que tengo muchos buenos amigos
c. Porque soy una persona muy lógica   d. Es estricto   e. A la playa   f. Con mis amigos
g. Vamos a nadar y tomar el sol   h. En el parque   i. Hamburguesas y ensalada   j. Mi prima
k. Porque es vegetariana   l. Voy a quedarme en casa

TRANSCRIPTS: Unit 15 - My holiday plans

1. Listen and fill in the gaps

a. Este verano **voy** a ir de vacaciones a Cuba.   b. Voy a viajar en **avión**.   c. Vamos a **pasar** una semana allí.
d. **Será** divertido.   e. Voy a **quedarme** en un hotel de lujo.   f. Voy a **bailar**.   g. Vamos a **ir de compras**.
h. Me gustaría **hacer buceo**.   i. Nos gustaría **hacer deporte**.

2. Spot the differences and correct your text

a. Este **verano** voy a ir de vacaciones a México.   b. Voy a pasar **dos semanas** allí.   c. Voy a ir con mi **novio**.
d. Vamos a quedarnos en un hotel **barato**.   e. Voy a hacer **deporte**.   f. Mi **hermano** va a comprar **ropa**.
g. Vamos a ir a la **playa**.   h. Voy a **tomar el sol**.   i. Me gustaría **hacer buceo**.   j. Nos gustaría ir de **compras**.

3. Multiple choice quiz

a. Es sueco. **b.** Va a viajar en barco. **c.** Va a viajar solo. **d.** Va a quedarse en un hotel de lujo.
e. Va a pasar 2 semanas allí. **f.** Va a ir de marcha. **g.** Va a tomar el sol. **h.** Será guay.

4. Write in the missing words

a. Este verano voy a ir **de** vacaciones a Roma, **en** Italia.
b. Voy **a** ir en avión. Vamos a pasar una semana **allí**.
c. Vamos **a** quedarnos en un hotel **de** lujo.
d. **Yo** voy a ir de marcha. Mis hermanas van a ir **de** compras…
e. …y mis padres van **a** comprar recuerdos.
f. Además, van a hacer turismo porque **hay** muchos sitios históricos **allí**.

5. Listen, spot and correct the spelling and grammar errors

a. Este verano voy **a** ir de vacaciones **en** avión.
b. Voy **a** pasar dos **semanas** allí.
c. Voy a ir con **toda mi** familia.
d. Vamos a **quedarnos** en un **hotel de lujo** con piscina cerca de la playa.
e. Por **la mañana** vamos a ir a la playa.
f. Por la tarde vamos a ir **de** compras y a hacer turismo.
g. A eso de las ocho vamos **a** cenar en **restaurantes** locales para comer platos **típicos**.
h. Por la noche, mi hermana y yo **vamos** a ir de marcha.
i. También, me **gustaría** aprender a bailar salsa. Lo **pasaremos** bomba.

6. Listen to Carlos and answer the questions below in English

Hola, soy Carlos. Este verano voy a ir de vacaciones a Almería, en el sur de España. Mis vacaciones empiezan el día 20 de junio. Voy a pasar dos semanas allí. Voy a viajar en coche con mi amigo Alfonso. Vamos a quedarnos en casa de mi primo. Mi primo se llama César y vive en un pueblo que se llama Aguadulce, está en la costa, a 10 minutos de Almería. Una vez allí vamos a hacer muchas cosas. Por ejemplo, vamos a ir a la playa, tomar el sol, comer comida local y hacer un poco de turismo.

7. Narrow listening: fill in the grid

a. Hola, soy **Carolina**. Este verano voy a ir de vacaciones con mi amigo al sur de Francia. Saldremos el 20 de mayo y pasaremos un mes allí. Vamos a quedarnos en casa de una amiga. Nuestra amiga vive en la montaña. Durante las vacaciones vamos a hacer esquí, escalada y vamos a comer y dormir mucho.
b. Hola, soy **Benicio**. Este verano voy a ir de vacaciones con mi familia al norte de Italia. Saldremos el uno de julio y pasaremos dos semanas allí. Vamos a quedarnos en una granja en el campo. Durante las vacaciones vamos a descansar, hacer senderismo y hacer equitación. ¡Me encantan los caballos!
c. Hola, soy **Sofía**. Este verano voy a ir de vacaciones con tres amigas al sur de España. Saldremos el 15 de agosto y pasaremos 5 días allí. Vamos a quedarnos en un hotel caro. El hotel está en la costa. Durante las vacaciones vamos a nadar, hacer buceo y tomar el sol.
d. Hola, soy **Mateo**. Este verano voy a ir de vacaciones con mi mejor amigo a Japón. Saldremos el 30 de septiembre y pasaremos una semana allí. Vamos a quedarnos en un hotel barato en el centro de la ciudad. Durante las vacaciones vamos a hacer turismo, ir de compras y también ir de marcha.

Unit 15. My holiday plans: LISTENING

1. Listen and fill in the gaps

a. Este verano **voy** a ir de vacaciones a Cuba.   b. Voy a viajar en **avión**.
c. Vamos a **pasar** una semana allí.   d. **Será** divertido.   e. Voy a **quedarme** en un hotel de lujo.   f. Voy a **bailar**.
g. Vamos a **ir de compras**.   h. Me gustaría **hacer buceo**.   i. Nos gustaría **hacer deporte**.

2. Spot the differences and correct your text

a. Este **verano** voy a ir de vacaciones a México.   b. Voy a pasar **dos semanas** allí.   c. Voy a ir con mi **novio**.
d. Vamos a quedarnos en un hotel **barato**.   e. Voy a hacer **deporte**.   f. Mi **hermano** va a comprar **ropa**.
g. Vamos a ir a la **playa**.   h. Voy a **tomar el sol**.   i. Me gustaría **hacer buceo**.   j. Nos gustaría ir de **compras**.

3. Multiple choice quiz

a. He is Swedish   b. He is travelling by boat   c. He is travelling alone
d. He is staying in a luxury hotel   e. He is staying there for 2 weeks   f. He is going to go clubbing
g. He will also sunbathe   h. It will be cool

4. Write in the missing words

a. Este verano voy a ir **de** vacaciones a Roma, **en** Italia.
b. Voy **a** ir en avión. Vamos a pasar una semana **allí**.
c. Vamos **a** quedarnos en un hotel **de** lujo.
d. **Yo** voy a ir de marcha. Mis hermanas van a ir **de** compras…
e. …y mis padres van **a** comprar recuerdos.
f. Además, van a hacer turismo porque **hay** muchos sitios históricos **allí**.

5. Listen, spot and correct the spelling and grammar errors

a. **Este** verano voy **a** ir de vacaciones **en** avión.
b. Voy **a** pasar dos **semanas** allí.
c. Voy a ir con **toda mi** familia.
d. Vamos a **quedarnos** en un hotel de **lujo** con piscina cerca de la playa.
e. Por **la mañana** vamos a ir a la playa.
f. Por la tarde vamos a ir **de** compras y a hacer turismo.
g. A eso de las ocho vamos **a** cenar en **restaurantes** locales para comer platos **típicos**.
h. Por la noche, mi hermana y yo **vamos** a ir de marcha.
i. También, me **gustaría** aprender a bailar salsa. Lo **pasaremos** bomba.

6. Listen to Carlos and answer the questions below in English

a. Where is he going on holiday? (two details) – **Almería, in south of Spain**
b. When does his holiday begin? – **On 20th June**
c. How long for? – **Two weeks**
d. How is he travelling? – **Car**
e. Who with? – **His friend, Alfonso**
f. Who are they staying with? – **With his cousin, César**
g. What is the name of the nearby town where they will stay? – **Aguadulce**
h. What are they going to do there? (4 details) – **Go to the beach / Sunbathe / Eat local food / Do sightseeing**

	Carolina	**Benicio**	**Sofía**	**Mateo**
Destination	South of France	Northern Italy	South of Spain	Japan
Who with	Friend	Family	Three friends	Best friend
Departure date	20th May	1st July	15th August	30th September
How long for	1 month	2 weeks	5 days	1 week
Accommodation	A friend's house	Farm	Expensive hotel	Cheap hotel
Location	Mountain	Countryside	Coast	Centre of the city
Activities	1. Skiing 2. Climbing 3. Eating and sleeping	1. Resting 2. Hiking 3. Horse riding	1. Swimming 2. Scuba diving 3. Sunbathing	1. Sightseeing 2. Shopping 3. Clubbing

Unit 15. My holiday plans: VOCABULARY BUILDING

1. Match

voy a ir – I'm going to go   **voy a pasar** – I'm going to spend   **voy a quedarme** – I'm going to stay
un hotel barato – a cheap hotel   **un camping** – a campsite   **me gustaría** – I would like to   **comprar** – to buy
será guay – it will be cool

2. Complete with the missing word

a. Comer y **dormir**   b. Voy a **descansar**   c. Me **gustaría** ir a…   d. **Jugar** con mis amigos   e. **Voy a** quedarme en…
f. **Será** aburrido   g. Vamos a **pasar**   h. Voy a viajar en **avión**   i. Voy a pasar dos semanas **allí** con mi **familia**

3. Translate into English

a. This summer I'm going to go to Greece   b. I'm going to spend 3 weeks there   c. I'm going to go to Cuba by plane
d. We are going to go shopping   e. I'd like to go out to the city centre   f. I'm going to play with my friends
g. We would like to eat and sleep   h. I'm going to rest every day   i. I'm going to do sports with my brother

4. Broken words

a. Com**er** y dorm**ir**   b. Vamos a qu**edarnos**   c. Voy a p**asar**   d. Me g**ustaría** ir a…   e. Ir a la p**laya**
f. M**ontar** en bici   g. **Tomar** el sol   h. **Será** relajante

5. 'Ir', 'Jugar' or 'Hacer'?

a. **ir** de compras   b. **ir** al centro   c. **hacer** turismo   d. **jugar** al fútbol   e. **hacer** buceo   f. **ir** de marcha   g. **ir** en bici
h. **hacer** deporte   i. **jugar** al ajedrez   j. **ir** a la playa

6. Faulty translation: correct the English

a. ~~Last~~ **This** summer ~~I am~~ **we are** going to go to…   b. I am going to go to Argentina with my ~~mother~~ **father**
c. I am going to ~~drink~~ **eat** and sleep   d. I would like to rest a ~~bit~~ **lot**   e. ~~I am~~ **We are** going to stay in a hotel
f. I am going to spend one week t**h**ere   g. ~~I am~~ **We are** going to travel by coach and ~~barge~~ **boat**
h. ~~We are~~ **I am** going to stay in my family's house

Unit 15. My holiday plans: READING (Page 175)

1. Find the Spanish for the following in Hugo's text

a. soy de   b. pero vivo en   c. voy a viajar en   d. con mi novio   e. vamos a pasar   f. todos los días
g. no voy a ir   h. prefiero tomar el sol

2. Find the Spanish for the following in Diana's text

a. este verano   b. en barco   c. tengo mucho tiempo   d. voy a pasar   e. me encanta bailar   f. así que
g. también   h. es muy aburrido

3. Complete the following statements about Deryk

a. He is from **Canada**   b. His favourite people are called **Anna, Saskia & Ciella**
c. They will travel to **England** and **Canada**
d. Deryk is going to **rest** and **read books** in England   e. Anna is going to **ride a bike** and **eat delicious food**
f. "Poutine" is made up of **fries** and **cheese**

4. List any 8 details about Dino (in 3rd person) in English

1. His name is Dino   2. He is Italian   3.This summer he is going to Mexico   4. He is going by plane   5. He is going
to spend 2 weeks   6. He is going on his own   7. He is going to visit monuments.   8. He is going to stay in a caravan

5. Find someone who…

a. Diana   b. Deryk   c. Dino   d. Hugo   e. Diana   f. Hugo   g. Deryk

Unit 15. My holiday plans: READING

1. Answer the following questions about Montserrat

a. Barcelona   b. a turtle   c. with her family   d. in a luxurious hotel   e. by car   f. it's an Arabic palace
g. she is going to go shopping

2. Find the Spanish for the phrases below in Josefina's text

a. este verano   b. y luego   c. que se llama   d. una cathedral   e. diseñada por   f. un poco fea   g. la playa allí
h. tomar el sol juntas

3. Find someone who…

a. Montserrat   b. Freddie   c. Montserrat   d. Freddie   e. Josefina   f. Montserrat   g. Freddie   h. Josefina

4. Find the Spanish for the following phrases/sentences in Freddie's text

a. mi hermano Brian   b. las ruinas Incas   c. será muy impresionante   d. será duro   e. me gustaría descansar
f. tocar la guitarra   g. nuestro grupo favorito   h. la música rock

Unit 15. My holiday plans: TRANSLATION/WRITING

1. Gapped translation

a. Voy a ir de **vacaciones**   b. Voy a viajar en **coche**   c. Vamos a **pasar** una semana **allí**
d. **Voy a** quedarme en un hotel **barato**   e. Vamos **a** comer y **dormir** todos los **días**
f. Si hace buen **tiempo** voy a ir a la **playa**   g. Voy a ir de **compras**

2. Translate to English

a. to eat   b. to buy   c. to rest   d. to go sightseeing   e. to go to the beach   f. every day   g. by plane   h. to go diving
i. to go out in the city centre

3. Spot and correct the grammar and spelling mistakes

a. Voy **a** hacer deporte   b. Voy a pas**ar** una semana allí   c. Voy a quedarme **en** un hotel **de** lujo
d. Vamos quedarnos en un**a** hotel   e. Me gustaría jugar **al** fútbol   f. Vamos a sa**l**lir al cent**e**ro   g. Voy a **ir** a la playa
h. Voy a jugar **con** mis amigos

4. Categories: Positive or Negative?

a. Será divertido – **P**   b. Será aburrido – **N**   c. Será agradable – **P**   d. Será relajante – **P**   e. Será interesante – **P**
f. Será terrible – **N**   g. Será curioso – **P**   h. Será asqueroso – **N**   i. Será fascinante – **P**   j. Será impresionante – **P**

5. Translate into Spanish

a. Voy a descansar   b. Voy a hacer buceo   c. Vamos a ir a la playa   d. Voy a tomar el sol
e. Me gustaría hacer turismo   f. Voy a alojarme en...   g. ...un hotel barato   h. Vamos a pasar dos semanas
i. Voy a ir en avión   j. Será divertido

TERM 3 – BRINGING IT ALL TOGETHER – 15

1. True (T), False (F) or Not Mentioned (NM)?

Today, Barri is quite sad	F
He doesn't get on well with his mother	F
Barri has a girlfriend	NM
He has breakfast in the dining room	F
For breakfast he has toast with honey	F
He loves vegetables	T
He doesn't eat fish	NM
He likes Indian food but has it rarely	F
He likes strawberries a lot	T
He can't stand his school	F
He enjoys singing	T
He is going on holiday to northern Spain	F
In Fuengirola he'll stay in a luxury hotel	T
He will go shopping every day	T

2. Find the Spanish equivalent for the following phrases/sentences in the text

a. Estoy muy feliz   b. Voy de vacaciones   c. Me llevo bien   d. Sin embargo   e. Un poco   f. Me regaña
g. Me despierto   h. Me encantan las verduras   i. No como carne   j. Explican las cosas   k. Me gusta cantar
l. Voy a ir   m. Vamos a pasar   n. Voy a ir de compras   o. Voy a comprar

3. Read paragraphs 1 to 3 and complete the following statements correctly

a. Federica lives in a **small** town   b. Federica's dad cycles **every day**
c. There is a mountain near **where she lives**   d. Her grandparents are called **Gabriele** and **Alessia**
e. Her **older** sister is called Francesca   f. Francesca likes **painting** and **singing**
g. Federica's friends say she is **funnier** than Francesca

4. Correct the 14 mistakes in the following translation of paragraphs 4 and 5

What do I like to eat? I **love** vegetables, such as **lettuce**, tomatoes and **cucumbers** because they are rich in vitamins
and minerals. My favourite is **Chinese** food. I eat it twice a **week**. I like fruit a lot, **especially watermelon**.

I **like** my school because the **teachers** are very kind and **funny**. They **always** help me when I have a problem. My
favourite subject is music. My music teacher plays the **drums** and the piano **very** well, but his **main** instrument is the
violin. He plays in the Roma and Lazio orchestra. In the future I would like to be a **professional musician** like him.

5. Answer the questions below in Spanish as if you were Federica

a. En la costa del Lacio   b. Ciclismo   c. Pintar y cantar   d. Creativa y talentosa   e. La comida china
f. La odio   g. Muy amables y graciosos   h. Me gustaría ser músico profesional   i. ¡Las vacaciones de verano!
j. A Atenas, Grecia   k. En avión y en tren   l. En una casa típica   m. Platos locales

TERM 3 - BRINGING IT ALL TOGETHER – QUESTION SKILLS

1. Fill in the missing question words – Daily life

a. **¿A qué hora** te despiertas?   b. ¿**Qué haces** por la mañana?   c. ¿**Qué desayunas** normalmente?
d. ¿**A qué hora** sales de casa?   e. ¿**Cómo** vas al colegio?
f. ¿**Qué planes tienes** para el fin de semana que viene?   g. ¿**Adónde** te gustaría ir?
h. ¿**Con quién** vas a ir?   i. ¿**Qué más** te gustaría hacer?

2. Sentence Puzzle – Food: listen and re-arrange the sentences

a. ¿Qué desayunas normalmente?   b. ¿Qué comida te gusta? ¿Por qué?   c. ¿Te gusta el pescado?
d. ¿Cuál es tu comida favorita?   e. ¿Hay alguna comida que odias?   f. ¿Prefieres la carne o las verduras?
g. ¿Cuál es tu fruta favorita?

3. Tangled translation – Holidays: into Spanish

a. ¿**Adónde** vas a ir de **vacaciones** este **verano**?   b. ¿**Cómo** vas a **viajar**? ¿**Por qué**?
c. ¿Cuánto **tiempo** vas a **pasar** allí?   d. ¿Dónde **vas** a quedarte?   e. ¿**Qué** te gustaría **hacer** allí?

4. Translate, then listen and check

a. ¿Adónde?
b. ¿Cómo?
c. ¿Cuándo?
d. ¿A qué hora?
e. ¿Qué haces?
f. ¿Con quién?
g. ¿Te gusta…?
h. ¿Cuánto tiempo?

5. Listen and write in the missing information to the questions: Daily life

a. ¿**A qué** hora te despiertas?   *Me **despierto** a eso de las **seis** de la **mañana***
b. ¿Qué **haces** por la mañana?   *Por la mañana, casi siempre **desayuno** con mi **madre** en la **cocina***
c. ¿Qué **desayunas** normalmente?   *Normalmente **desayuno** un zumo de **naranja** y una tostada con **miel***
d. ¿A qué **hora** sales de **casa**?   ***Salgo** de casa a las **siete** y **cuarto***
e. ¿**Cómo** vas al **colegio**?   *Voy al **colegio** a **pie** con mi mejor **amigo***
f. ¿**Qué** planes **tienes** para el fin de **semana** que viene?   *Este **fin** de semana voy a **ir de paseo** con mi **perro** al parque y después voy a **ver** una **película***
g. ¿**Adónde** te **gustaría** ir?   *Si hace **buen** tiempo me **gustaría** ir a la **piscina***
h. ¿**Con quién** vas a ir?   *Voy a **ir** con mis **padres** porque me **gusta** pasar **tiempo** con ellos*

6. Listen and write in the missing information to the questions: Food & Holidays

a. ¿**Qué** comida te **gusta**? ¿Por **qué**?   *Me **gusta** mucho la comida **picante** porque es **deliciosa***
b. ¿Te **gusta** el **pescado**?   *Me **encanta** el **pescado**, pero lo que más me **gusta** es el **marisco***
c. ¿**Cuál** es tu comida **favorita**?   *Mi **comida** favorita es la **paella***
d. ¿**Hay** alguna **comida** que **odias**? ¿**Por** qué?   *Sí, **odio** los **tomates**. Son **asquerosos**.*
e. ¿**Adónde** vas a ir de **vacaciones** este **verano**?   *Este **verano** voy a ir a **España** de vacaciones*
f. ¿**Cómo** vas a **viajar**?   *Primero voy a **viajar** en **avión** y después en **coche***
g. ¿**Cuánto tiempo** vas a pasar **allí**?   *Voy a pasar **dos** semanas **allí***
h. ¿**Dónde** vas a **quedarte**?   *Voy a **quedarme** en un **hotel** en las **montañas***
i. ¿**Qué** te gustaría **hacer** allí?   *Me **gustaría** hacer **senderismo** y escalada porque me **encantan** los deportes al **aire** libre.*

ANSWERS:

TERM 3 – BRINGING IT ALL TOGETHER – QUESTION SKILLS

1. Fill in the missing question words – Daily life

a. ¿**A qué hora** te despiertas?   b. ¿**Qué haces** por la mañana?   c. ¿**Qué desayunas** normalmente?

d. ¿**A qué hora** sales de casa?   e. ¿**Cómo** vas al colegio?

f. ¿**Qué planes tienes** para el fin de semana que viene? g. ¿**Adónde** te gustaría ir?

h. ¿**Con quién** vas a ir?   i. ¿**Qué más** te gustaría hacer?

2. Sentence Puzzle – Food: listen and re-arrange the sentences

a. ¿ Qué desayunas normalmente?   b. ¿Qué comida te gusta? ¿Por qué?   c. ¿Te gusta el pescado?

d. ¿Cuál es tu comida favorita?   e. ¿Hay alguna comida que odias?   f. ¿Prefieres la carne o las verduras?

g. ¿Cuál es tu fruta favorita?

3. Tangled translation – Holidays: into Spanish

a. ¿**Adónde** vas a ir de **vacaciones** este **verano**?   b. ¿**Cómo** vas a **viajar**? ¿**Por qué**?

c. ¿Cuánto **tiempo** vas a **pasar** allí? d. ¿Dónde **vas** a quedarte?   e. ¿**Qué** te gustaría **hacer** allí?

4. Translate, then listen and check

a. ¿Adónde?	e. ¿Qué haces?
b. ¿Cómo?	f. ¿Con quién?
c. ¿Cuándo?	g. ¿Te gusta…?
d. ¿A qué hora?	h. ¿Cuánto tiempo?

5. Listen and write in the missing information to the questions: Daily life

a. ¿A **qué** hora te despiertas?   *Me **despierto** a eso de las **seis** de la **mañana***

b. ¿Qué **haces** por la mañana? *Por la mañana, casi siempre **desayuno** con mi **madre** en la **cocina***

c. ¿Qué **desayunas** normalmente? *Normalmente **desayuno** un zumo de **naranja** y una tostada con **miel***

d. ¿A qué **hora** sales de **casa**? *Salgo de casa a las **siete** y **cuarto***

e. ¿**Cómo** vas al **colegio**? *Voy al **colegio** a **pie** con mi mejor **amigo***

f. ¿**Qué** planes **tienes** para el fin de **semana** que viene? *Este **fin** de semana voy a **ir de paseo** con mi **perro** al parque y después voy a **ver** una **película***

g. ¿**Adónde** te **gustaría** ir? *Si hace **buen** tiempo me **gustaría** ir a la **piscina***

h. ¿**Con quién** vas a ir? *Voy a **ir** con mis **padres** porque me **gusta** pasar **tiempo** con ellos*

6. Listen and write in the missing information to the questions: Food & Holidays

a. ¿**Qué** comida te **gusta**? ¿Por **qué**? *Me **gusta** mucho la comida **picante** porque es **deliciosa***

b. ¿Te **gusta** el **pescado**? *Me **encanta** el **pescado**, pero lo que más me **gusta** es el **marisco***

c. ¿**Cuál** es tu comida **favorita**? *Mi **comida** favorita es la **paella***

d. ¿**Hay** alguna **comida** que odias? ¿**Por qué**? *Sí, **odio** los **tomates**. Son **asquerosos**.*

e. ¿**Adónde** vas a ir de **vacaciones** este **verano**? *Este **verano** voy a ir a **España** de vacaciones*

f. ¿**Cómo** vas a **viajar**? *Primero voy a **viajar** en **avión** y después en **coche***

g. ¿**Cuánto tiempo** vas a pasar **allí**? *Voy a pasar **dos** semanas **allí***

h. ¿**Dónde** vas a **quedarte**? *Voy a **quedarme** en un **hotel** en las **montañas***

i. ¿**Qué** te gustaría **hacer** allí? *Me **gustaría** hacer **senderismo** y **escalada** porque me **encantan** los deportes al **aire** libre.*

www.ingramcontent.com/pod-product-compliance
Lightning Source LLC
LaVergne TN
LVHW070953180726
843512LV00017B/1232